PORTREADAU
PORTRAITS

Cyhoeddwyd gan/*Published by:*
Llyfrgell Genedlaethol Cymru
The National Library of Wales
Aberystwyth
Ceredigion
SY23 3BU
http://www.llgc.org.uk

Llun clawr cefn a lluniau tudalennau 5, 6, 8, 9: Bernard Mitchell
Ysgrif ragarweiniol: Rian Evans
Ymchwil fywgraffyddol: Gwen Davies
Argraffiad cyntaf Gorffennaf 2002

Cover photograph and photographs for pages 5, 6, 8, 9: Bernard Mitchell
Introductory essay: Rian Evans
Biographical research: Gwen Davies
First edition July 2002

ISBN: 1 86225 036 7

Mae cofnod catalog ar gyfer y llyfr hwn ar gael gan y Llyfrgell Brydeinig.

A catalogue record for this book is available from the British Library.

Dymuna Llyfrgell Genedlaethol Cymru a'r arlunydd ddiolch i berchenogion y portreadau am bob cymorth a chydweithrediad wrth baratoi 'Portreadau • Portraits' - yr arddangosfa a'r llyfr. Dymuna'r Llyfrgell hefyd gydnabod cyfraniad cwmni Carr Sheppards Crosthwaite tuag at gostau'r arddangosfa.

The National Library of Wales and the artist wish to thank the owners of the portraits for their help and co-operation whilst preparing 'Portreadau • Portraits' *- the exhibition and book. The Library also wishes to acknowledge the support of Carr Sheppards Crosthwaite towards the exhibition.*

Dylunio/*Design:* FBA Dylunio Design, Aberystwyth
Argraffwyd gan/*Printed by:* Westdale Press, Caerdydd/*Cardiff*

Llywodraeth Cynulliad Cymru
Welsh Assembly Government
CORFF NODDEDIG | SPONSORED BODY

PORTREADAU
PORTRAITS

DAVID GRIFFITHS

Llyfrgell Genedlaethol Cymru
The National Library of Wales

2002

Hunanbortread/*Self-Portrait* **David Griffiths** circa 1997
olew ar ganfas/*oil on canvas* 40" x 30"

David Griffiths - A Traditional Inheritance

In David Griffiths's studio, a mirror strategically placed behind the artist allows the person sitting for a portrait to see its gradual progress from the first mapping out of proportions and structure towards the likeness of themselves. In this arrangement, the artist himself will be mainly hidden behind his easel and there is a sense in which he would have preferred the same to be true with this National Library exhibition. For him, it is the subject and the work which is of prime importance. Holding a mirror to David Griffiths, then, is no straightforward task. An artist's existence tends to be relatively isolated and there is an enigmatic element in Griffiths's makeup which deflects any attention. But it is also in the nature of these things that a portrait-painter should remain an outsider - an observer rather than a participant - and that a collection of pictures such as this, perceived and represented through the eyes of an individual, should yet stand as a reflection of certain values which our society holds dear.

As it happens, the mirror is the device by which the portrait painter acquires some of his earliest and most valuable experience. The artist's cheapest and most readily available model is himself and in the series of early self-portraits lies evidence of the painstaking learning process to which David Griffiths subjected himself from the end of his teens. The seriousness of purpose is clear enough. The young artist has determined his future as a painter, setting his sights on the Slade School of Fine Art, the pre-eminent London school where both Gwen and Augustus John studied. Making the transition from being naturally gifted and doing drawings with effortless ease to the conscious, sometimes self-conscious, development of technique and of discernment is never easy. But for David Griffiths, there was always a quiet certainty that he was somehow fulfilling family destiny. His maternal grandfather, a successful Liverpool Welsh businessman, had been an accomplished amateur artist. Griffith Robert Griffith's portrait of his father is testimony to his talent, but it is also interesting to note in the features a striking resemblance to those of his great-grandson. Not surprisingly, one of David Griffiths's proudest possessions is the catalogue of the 1889 autumn exhibition at Liverpool's Walker Gallery where his grandfather's portrait of prime minister William Ewart Gladstone had hung alongside the work of, among others, Henri Fantin-Latour. With such a genetic inheritance, Griffiths's own choice of career was probably inevitable.

It was in Liverpool that David Griffiths was born and he spent the early part of his childhood in Orrell, near Wigan. But since on both parents' sides roots were deeply embedded in Wales, the family's return to Pwllheli was significant in cultural terms. Seven is a highly impressionable age and one can imagine the young boy, already noticing the differences between the faces of working-class Orrell and the demeanour of more well-to-do family and friends, being totally absorbed by everything in the new environment of Pwllheli, where country met the sea and the people of Llŷn met the visitors. The physiognomy of faces was something that David Griffiths would not learn about for many years to come, but subconsciously he would have been storing information about the way people looked, their manner and behaviour, their idiosyncrasies, honing the instinct that was to be fundamental to his work in future years. David Griffiths's mother Muriel had inherited her father's artistic traits; the fact that she drew and painted was an influence, and the discussions between mother and son about each other's work - how a picture was progressing or why something was proving tricky - were another aspect in the pattern of developing sensibilities.

At Pwllheli Grammar School, the art master was Elis Gwyn. Not only was he a fine teacher, but as a practising artist he was also a role model. In retrospect, David Griffiths recognises just what a part Gwyn played at this point in his life, not least in joining his mother to encourage him to take up a place at the Slade School in London. Some of the great names of the art world were teaching at the Slade in the fifties and sixties, including Ernst Gombrich, William Coldstream and Anthony Blunt as well as Ceri Richards and John Piper. The teaching was inspiring, as were the long hours that Griffiths now spent at the National Gallery or the Wallace Collection looking at Titians and Rembrandts, Lawrences and Reynolds with wonder and awe. While the Slade famously laid great emphasis on draughtsmanship, it also gave comprehensive training in every other aspect of art from history to restoration work. These were skills which David Griffiths would call on over the years in the way that painters then expected to do. Cartoon-drawing, undertaken mainly for television programmes, was just one of these skills. Aware that this had been a medium for the likes of Hogarth and Goya, Griffiths quite reasonably took the view that sharpening his powers of observation in order to create a good caricature would also serve good purpose in his oil portraits.

Griffiths was under no illusions as to the difficulties of trying to break into the art world. For some years he taught at a grammar school in Birmingham, but while it gave him the financial security so emphasised by his father (whose career was in the bank), the portrait commissions which had also begun to come his way led him to hope that he could in due course focus his energies entirely in that direction. With characteristic astuteness, Griffiths used vacations as profitably as possible. He persuaded the local council to allow him to set up a summer gallery at Pwllheli Town Hall and it was the success of those ventures that then led him to establish with Mary Yapp the Albany Gallery in Cardiff, a role he relinquished as the gallery established itself. Over the years, the various experiences in differing aspects of the art world and the encounters with so many different kinds of people all added to his armoury as a portrait painter. The early years were times of incessant experimentation in style and method. He looked at artists such as Picasso, Braque and Bomberg, questioning why they worked as they did and examining his own motivation, but found himself returning consistently to a more conventional approach.

Griffiths is today philosophical about the commission which effectively launched his career: painting the Prince of Wales receiving the freedom of the city of Cardiff in the year of his investiture. With hindsight, he feels that it probably came too soon and that he might have benefited from serving an even longer apprenticeship, but at the time it brought him much-needed recognition and established his credentials. Thirty-three years on, Griffiths has recently painted the Prince again and, as the wheel turns full circle, it has enabled him to reflect on his own cycle of work over that period. His Slade training means that in one sense Griffiths belongs to a very English tradition, but the Welshman in him has always been strong and he was instinctively drawn to the idea of being a portrait painter of Welsh people, much in the mould of his grandfather before him. Indeed, partly as a result of his passion for collecting pictures by 18th and 19th century Welsh painters and looking at the pattern of their work, Griffiths sees himself as belonging to the artisan tradition chronicled by the art historian Peter Lord in his book *Arlunwyr Gwlad, Artisan Painters*. The author generously acknowledges Griffiths's contribution to that stage of his research. Lord's subsequent extensive work on the visual art and the iconography of Wales, while giving us a far more vivid picture than any hitherto possible, is also a reminder of the place that portraiture occupies.

As an art it has its own aesthetic values, but it embodies too historical and sociological evidence which contributes significantly to the overall picture of Welsh society. Now, at a time when Wales's status as a nation with newly devolved powers has given rise to much reflection about the nature of our cultural identity, it is clear that it is not simply a question of looking at the ideas and ideals and the basic tenets of our society in trying to define what we are, but also of identifying the people who represent the cultural life and national institutions which actively uphold and promote those fundamentals. Academia, politics, medicine, the church, the arts and music, the eisteddfod: these are the areas of intellectual and cultural pursuit which help define the society in which we live. In the context of the present, David Griffiths's portraits have their own intrinsic value, but as a body of work representing some of the most important Welshmen of their time, they will surely contribute to defining the way that Welsh society of the latter part of the twentieth century and the beginning of the twenty first will be viewed by future generations.
In a world where video art, installation and conceptual art have such a part, portrait-painting is sometimes in danger of being regarded as an anachronism. But however much technology has widened the compass of the visual arts and however much photography might claim to be the definitive portraitive medium, there is no doubt that painting portraits in oils will always have its place. David Griffiths still relishes the challenge that oil portraits represent. He sees it as having a timeless quality and has chosen to remain faithful to the traditional approach. Recognising that every aspect of the portrait - the setting and the background, whether formal or informal, the ambience and the rituals that are reflected - will play its part in communicating with the viewer, he is less concerned with psychological insights or with making a statement than in immersing himself in the technical aspect of capturing a likeness and in allowing that person, as it were, to speak for themselves through the medium of the painting. Here lies the endless fascination of portraits for the spectator. As the casual glance becomes a more studied viewing, the spectator notes details and, picking up on carefully understated signals, begins to get a sense of personality. It is in meeting the subject's gaze and in being engaged, even if only momentarily, with that person as an individual that one begins to realise why, for the painter, capturing the feel of the eyes - the mirror to the soul - is the utterly compelling challenge at the very heart of his art.

Rian Evans

Agwedd ar Gymru

Mae enw barddol David Griffiths - 'Dafydd Llŷn' - yn un arwyddocaol. Mae'r chwarae ar eiriau yn gwbl nodweddiadol o'r rhan honno o'i gymeriad sy'n naturiol ddireidus ac mae pob un sydd wedi eistedd yn ei stiwdio i gael ei bortreadu gan yr arlunydd yma yn gallu tystio i'w hiwmor hawddgar a'i ddawn i wneud i bobl deimlo'n hollol gartrefol a chyfforddus mewn sefyllfa a allai fod yn un anghyfforddus. Er mai busnes digon difrifol yw bod yn beintiwr portreadau, rhan o'i gyfrinach yw'r gallu yna. Rhan arall o'i gadernid yw'r sicrwydd sy'n deillio o hunaniaeth bersonol ac artistig sydd ynghlwm wrth Ben Llŷn.

Er i David Griffiths gael ei eni yn un o Gymry Lerpwl, roedd gwreiddiau ei deulu yn ddwfn yng Ngogledd Cymru ac roedd yn naturiol i'w rieni hiraethu am ddod yn ôl i'w cynefin i roi magwraeth Gymreig i'w mab a'u merch. Yn wir, gellid dadlau na fyddai gyrfa arluniol David Griffiths wedi gallu ffynnu yn yr un ffordd oni bai iddo ddychwelyd i Gymru yn grwtyn saith oed. Roedd y gymdogaeth yn un glòs, hapus a'r aelwyd wedi ei thrwytho yn 'y pethe'. Ond o edrych ar ei achau, mae 'na achos i feddwl bod dyfodol yr arlunydd wedi ei selio o'r cychwyn, gan iddo etifeddu dawn sy'n ymddangos i sicrwydd ym mhedair cenhedlaeth ar ochr ei fam. Pensaer celfi celfydd iawn oedd ei hen daid, Morris Griffith, a aeth o'i bentref genedigol yng Nghlynnog i'w sefydlu ei hun yn Lerpwl. Roedd mab hwnnw, Griffith Robert Griffith, dyn busnes llwyddiannus yn Lerpwl, yn arlunydd amatur arbennig o dda. Dangoswyd ei bortread ef o'r prif weinidog William Ewart Gladstone yn arddangosfa hydref Oriel Walker yn Lerpwl ochr yn ochr â gwaith Henri Fantin-Latour ac Edward Burne-Jones. I David Griffiths, testun balchder mawr yw'r hen gatalog arddangosfa sydd bellach yn eiddo iddo.

Bob prynhawn Sul, byddai teulu Griffith Robert Griffith - roedd ganddo bump o ferched - yn ymgynnull o gwmpas bwrdd y lolfa i ddylunio a pheintio mewn dyfrlliw. Roedd mam David yn arlunydd medrus iawn ac yn ymwybodol bod ei mab yn debyg i'w thad, nid yn unig yn ei gymeriad a'i bersonoliaeth ond yn ei ddawn hefyd. O'i ran ef, dyw David ddim yn gallu cofio amser pan nad oedd yn gallu dylunio ac fe aeth i Gapel Penmount Pwllheli ar yr amod ei fod yn cael tynnu lluniau pobl y gynulleidfa tra'n gwrando ar y bregeth, a'i fam yn cuddio papur a phensel yn ei bag. Yn Ysgol Ramadeg Pwllheli, bu David Griffiths yn ddigon ffodus i gael Elis Gwyn yn athro arlunio. Erbyn y chweched dosbarth pan oedd David wedi penderfynu mynd i ysgol gelf a dilyn gyrfa broffesiynol fel arlunydd, roedd profiad Elis Gwyn fel arlunydd ei hun yn allweddol. Rhoddodd arweiniad a chyngor a gynorthwyodd i bontio'r gagendor rhwng ysgol ramadeg ac ysgol y Slade yn Llundain. Yn y Slade, ceid y cwrs diploma celfyddydau cain mwyaf trwyadl ac fe gafodd y myfyriwr ifanc y gorau o bob agwedd ar fyd arlunio. Yn yr adran hanes celf cafodd ddarlithoedd gan Ernst Gombrich ac Anthony Blunt, dosbarthiadau anatomeg gan ddarlithwyr Ysbyty Prifysgol Llundain, gwersi cynllunio llwyfan yn Sadler's Wells a'r Old Vic, a gwaith atgyweirio a chadwraeth yn yr Oriel Genedlaethol. Dyw'r fath hyfforddiant ddim yn bod bellach ac, o edrych yn ôl, mae David yn cydnabod braint neilltuol yr addysg hon. Bu atyniad yr Oriel Genedlaethol yn un go gryf a dyma ran arall o'r cyfnod yma a fu'n allweddol yn natblygiad y darpar arlunydd. Wedi darganfod lluniau Titian a Rembrandt a'u tebyg, aeth yn ôl i'r oriel ar bob cyfle posib i syllu a dysgu. Yn ystod y gwyliau hir, aeth yn ôl yn llawn ysbrydoliaeth i Bwllheli, gan fynd ati i beintio cymaint ag y gallai cyn dychwelyd i Lundain.

Dilyn awgrym Elis Gwyn a wnaeth wrth gychwyn llun mawr yn dwyn y teitl 'Llaregyb', wedi ei seilio ar gymeriadau Dylan Thomas yn ei ddrama i leisiau, *Under Milk Wood*. Dangoswyd y llun yn Eisteddfod Glynebwy ym 1958 ac fe'i prynwyd gan Oriel Gelf Casnewydd am ddeg gini a thrigain, swm oedd yn ymddangos yn enfawr i arlunydd ifanc a oedd yn gwerthu ei waith am y tro cyntaf. Ddwy flynedd yn ddiweddarach yn arddangosfa celf a chrefft Eisteddfod Caerdydd, gwerthwyd ei lun 'Ffair Pentymor' - portread o wynebau a chymeriadau cefn gwlad yn ymweld â'r ffair draddodiadol - i brifysgol yn America. Prin fod David Griffiths wedi rhagweld pryd hynny y byddai ymhen rhai blynyddoedd yn arddangos sioe gyfan o'i bortreadau ar faes Eisteddfod Rhydaman ym 1970, ond roedd ei yrfa wedi cychwyn a'r tueddiad Cymreig o ran testun ac ymrwymiad wedi ei sefydlu.

Mae Cymreictod David Griffiths wedi bod yn bwysig iddo erioed. Roedd ei awydd i bortreadu pobl Gymraeg a Chymreig a'i benderfyniad i ddod yn ôl i Gymru i'w sefydlu ei hunan yn beintiwr portreadau yn gryf iawn. Tra bod yr arddangosfa bresennol a'r rhestr helaeth iawn o bobl y mae David Griffiths wedi eu peintio yn tanlinellu ei lwyddiant, mae'r ymrwymiad hwn i bethau Cymreig wedi ei amlygu ei hunan mewn

ffyrdd eraill hefyd. Law yn llaw â'i waith yn hybu ymwybyddiaeth o waith cyfoes arlunwyr Cymru drwy sefydlu orielau dros dro ym Mhwllheli ac yna Oriel yr Albany yng Nghaerdydd, bu ei ddiddordeb angerddol mewn casglu hen bortreadau o gymorth i'r hanesydd Peter Lord wrth iddo ymgymryd â'r gwaith o bortreadu arlunwyr gwlad y bedwaredd ganrif ar bymtheg yng Nghymru.

Teimlai David ei hun ei fod yn perthyn i'r traddodiad Cymreig hwn a'i fod, yn hynny o beth, yn etifedd i draddodiad ei daid. Mae'n hoffi'r teimlad o fod yn ymarfer crefft ddigyfnewid, heb fod yn glwm i ofynion ffasiwn nac ychwaith i ddulliau haniaethol, er iddo arbrofi yn y maes hwnnw yn ei dro. Yn sicr, nid arbrofi o ran arddull yw'r her i David Griffiths bellach ond yr her o berffeithio techneg, o ddarganfod ffyrdd i gyfleu bywyd a bywiogrwydd y rhai sy'n cael eu portreadu fel bod y paent a'r cyfrwng yr un mor fyw. Er i bortread y Llefarydd George Thomas (Arglwydd Tonypandy wedi iddo ymddeol) gymryd bron i flwyddyn i'w orffen, erbyn hyn mae David yn ffafrio techneg sy'n caniatáu i'r paent lifo, fel bod y llun yn cael ei orffen o fewn diwrnodau. Ond wedi oes o ymarfer dygn y datblygodd yr hyblygrwydd hwn.

Mae gallu amlwg David Griffiths i gyfleu tebygrwydd yn ogystal â'i sensitifrwydd a chydymdeimlad naturiol â phobl yn golygu bod ei bortreadau yn llawn rhinweddau sydd yn eu tro yn eu cyfleu eu hunain i'r gwyliwr. Hawdd gweld mai hoelion wyth y genedl sydd wedi cael eu portreadu gan David Griffiths dros y blynyddoedd: gwleidyddion, esgobion ac archesgobion, derwyddon ac archdderwyddon, mawrion byd addysg, meddygon a gwyddonwyr, beirdd, awduron, cerddorion a chantorion. Ymhen amser, pan fydd haneswyr yn dadansoddi'r cyfnod pwysig yma yn natblygiad Cymru ar ddiwedd yr ugeinfed ganrif a dechrau'r unfed ganrif ar hugain, fe fydd y portreadau yma yn ddogfennau pwysig a fydd yn cynorthwyo'r broses o ddeall a gwerthfawrogi'r gwerthoedd a oedd yn agos at galon y genedl yn y cyfnod. Oherwydd dyma sy'n rhwym wrth y lluniau yma, y teimlad eu bod yn adlewyrchu cymaint o'r hyn sy'n agos at galon y genedl. Petai'r rhain yn bobl gyffredin, fe fydden nhw'n ddiddorol o ran eu hedrychiad a'u cyfansoddiad, o ran eu pryd a'u gwedd. Ond mae'r ffaith eu bod bron i gyd yn wynebau cyfarwydd, yn arwyr ac yn gewri, yn golygu eu bod yn cynrychioli'r gymdeithas ar ei gorau. Ar y naill law mae'r portreadau yn adlewyrchu'r parch ac edmygedd y maent yn eu hawlio yn sgil eu cyfraniad i fywyd ein hoes, ac ar y llall maen nhw hefyd yn mynegi rhywbeth am ddynoliaeth a'r natur ddynol. Beth bynnag a gynigir gan gyfryngau'r dechnoleg newydd, mae gan yr arlunydd traddodiadol gyfrwng pwerus iawn sy'n gallu dweud cyfrolau.

Yn yr arddangosfa hon mae wynebau tri o gewri'r byd arlunio i'w gweld: Syr Kyffin Williams, Peter Prendergast a'r diweddar Will Roberts. Yn y cyd-destun yma, efallai mai'r deyrnged fwyaf diffuant i arlunydd yw cael arlunwyr cydnabyddedig eraill yn tystio i'w parch nhw fel cydweithwyr drwy eistedd ar gyfer portreadau. Mae David Griffiths yn gallu ymfalchïo yn hynny.

Rian Evans

Harry Percy

Ganwyd Henry Alan Walter Richard Percy yn 1953. Ef oedd Unfed Dug ar Ddeg Northumberland a bu'n Llywydd nifer o glybiau, cymdeithasau a phwyllgorau yn Northumberland, gan gynnwys y Cynllun i Gefnogi Dioddefwyr Swydd Northumberland. Roedd Harry Percy, fel y'i gelwid, yn aelod o Grŵp Ymgynghorol Ffermio a Bywyd Gwyllt Surrey, yn Noddwr Cylch Cymdeithasau Hanes Lleol Northumberland, Canolfan Ryngwladol ar gyfer Astudiaethau Plant, ac roedd yn Feistr Bytheiaid. Yn ogystal, roedd yn Gymrawd Cymdeithas Frenhinol y Celfyddydau. Bu farw yn 1995.

Born in 1953, Henry Alan Walter Richard Percy, the Eleventh Duke of Northumberland, was President of numerous clubs, societies and committees in Northumberland, including the Northumberland County Victim Support Scheme. Harry Percy, as he was known, was a member of the Surrey Farming and Wildlife Advisory Group, Patron of the Association of Northumberland Local History Societies, the International Centre for Child Studies, and was a Master of Foxhounds. He was also a Fellow of the Royal Society of Arts. He died in 1995.

Harry Percy (fersiwn diweddarach o bortread gwreiddiol 1970/*later version of original 1970 portrait*)
olew ar ganfas/*oil on canvas* 24" x 18"

George Thomas

Ganwyd Thomas George Thomas yn Nhonypandy yn 1909, ac etholwyd ef yn AS dros Gaerdydd yn 1945. Bu'n gwasanaethu nifer o etholaethau yng Nghaerdydd trwy gydol ei yrfa a phenodwyd ef yn Ysgrifennydd Gwladol Cymru yn 1968. Yn 1976 penodwyd ef yn Llefarydd Tŷ'r Cyffredin, rôl yr ymhyfrydai'n fawr ynddi. Nodweddion ohono fel Llefarydd oedd ei amhleidiolrwydd di-ildio a'i ymroddiad diwyro i'r Tŷ Cyffredin. Roedd yn Frenhinwr ymroddedig ac yn ei fywyd gwleidyddol ymdrechodd i gynrychioli'r traddodiad Sosialaidd Cristionogol. Roedd George Thomas yn bregethwr cynorthwyol gyda'r Wesleaid ac yn awdur *The Christian Heritage in Politics*, a gyhoeddwyd yn 1959. Tuag at ddiwedd ei oes, tynnodd pobl i'w ben gyda'i ymgyrchu gweithredol yn erbyn sefydlu Cynulliad Cenedlaethol i Gymru. Derbyniodd y teitl Iarll Tonypandy yn 1983. Bu farw yn 1997.

Thomas George Thomas was born in Tonypandy in 1909, and was elected MP for Cardiff in 1945. Serving various Cardiff constituencies throughout his career, he was appointed Secretary of State for Wales in 1968. In 1976 he became Speaker of the House of Commons, a role which he greatly cherished. The hallmarks of his Speakership were his unyielding impartiality and his unswerving dedication to the House of Commons. A committed Royalist, in his political life he strove to represent the Christian Socialist tradition. George Thomas was a lay preacher for the Wesleyans and author of *The Christian Heritage in Politics*, published in 1959. Towards the end of his life he provoked controversy by his active campaigning against the establishment of a National Assembly for Wales. He took the title Viscount Tonypandy in 1983. He died in 1997.

Lord Tonypandy, Sir George Thomas 1980
olew ar ganfas/*oil on canvas* 72" x 48"

Geraint Evans

Yn enedigol o Gilfynydd ger Pontypridd yn 1922, ac yn fab i löwr, bu Syr Geraint Evans yn brif Fariton yn y Tŷ Opera Brenhinol rhwng 1948 a 1984. Ymunodd â Covent Garden yn 1947, a chyflwynodd ei berfformiad cyntaf nodedig o Ffigaro yno yn 1949. Dyma rôl yr ymberffeithiodd drwy gydol ei yrfa gyda 500 o berfformiadau dros gyfnod o ddeng mlynedd ar hugain. Ymhlith rhannau mawrion eraill a berfformiodd yr oedd Falstaff a Balstrode. Bu Syr Geraint yn canu yn nhai opera a neuaddau cyngerdd ysblennydd ledled y byd, ond hefyd perfformiodd gydag Opera Cenedlaethol Cymru ac yn Glyndebourne. Derbyniodd CBE yn 1959 ac fe'i hurddwyd yn Farchog yn 1969. Roedd yn ddeilydd nifer o gymrodoriaethau a doethuriaethau er anrhydedd, gan gynnwys Prifysgol Cymru, Caerdydd ac Aberystwyth a Choleg Iesu Rhydychen, yn ogystal â bod yn Rhyddfreiniwr Dinas Llundain. Ef oedd Llywydd cyntaf Coleg Cerdd a Drama Cymru ac yn gyfarwyddwr a chydsylfaenydd HTV Cymru. Ymhlith y gwobrau lu a ddyfarnwyd iddo yr oedd Gwobr Cerddoriaeth Ryngwladol Harriet Cohen yn 1967; Medal 'Fidelic' Cymdeithas Ryngwladol Cyfarwyddwyr Opera yn 1980, ac yn 1981 Medal Opera San Francisco Opera. Bu farw Syr Geraint Evans yn 1992.

Born at Cilfynydd, near Pontypridd, in 1922, the son of a miner, Sir Geraint Evans was principal Baritone at the Royal Opera House between 1948 and 1984. He joined Covent Garden in 1947, and made his acclaimed debut performance of Figaro there in 1949. This was a role that he refined throughout his career with 500 performances over thirty years. Other major roles included Falstaff and Balstrode. Sir Geraint sang in the great opera houses and concert halls around the world, but also performed with the Welsh National Opera and at Glyndebourne. He received the CBE in 1959 and was Knighted in 1969. He held many fellowships and honorary doctorates, including University of Wales, Cardiff and Aberystwyth, Jesus College Oxford, as well as being a Freeman of the City of London. He was the first President of the Welsh College of Music and Drama, and a director and co-founder of HTV Wales. Among the many awards made to him were the Harriet Cohen International Music Award, in 1967; the Fidelic Medal of the International Association of Opera Directors in 1980, and in 1981, the San Francisco Opera Medal. Sir Geraint Evans died in 1992.

Geraint Evans 1982
olew ar ganfas/*oil on canvas* 40" x 30"

Martin Robert Watkins

Ar ôl mynychu Coleg Iesu, Aberhonddu, Prifysgol Llundain a'r Gymdeithas Gemolegol yn Llundain, erbyn hyn mae Martin Watkins yn fasnachwr gemau ac yn gweithio ym Mhrydain ac Ewrop. Peintiwyd y portread hwn ohono yn ystod ei blentyndod.

After attending Christ College, Brecon, the University of London and the Gemmological Association in London, Martin Watkins is now a gem merchant working in Britain and Europe. This portrait was painted of him during his childhood.

Martin Robert Watkins 1982
olew ar ganfas/*oil on canvas* 24" x 20"

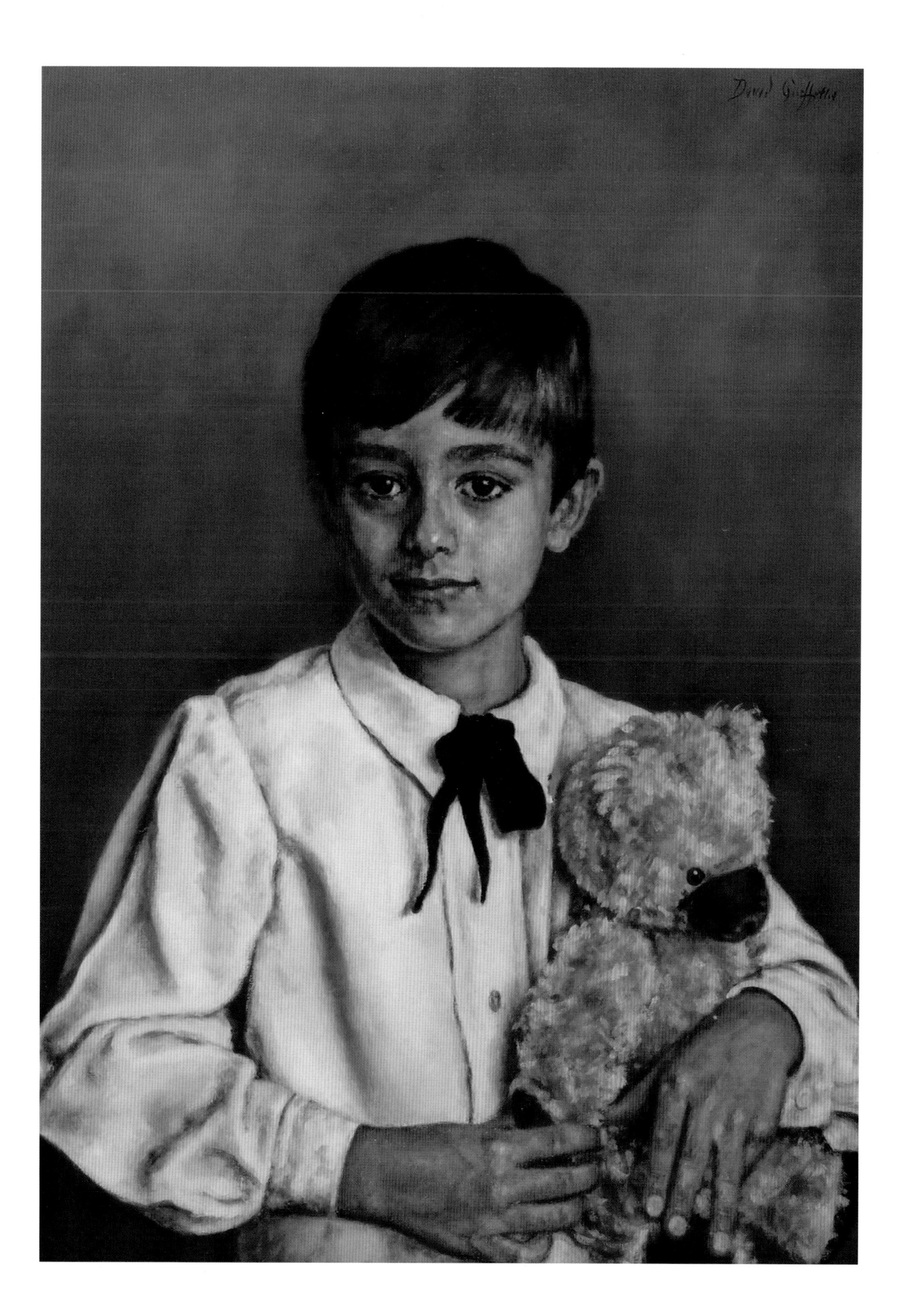

Owen Edwards

Ganwyd Owen Edwards, sy'n frodor o Aberystwyth, yn 1933, yn fab i Syr Ifan ab Owen Edwards, sylfaenydd Urdd Gobaith Cymru. Ymunodd â BBC Cymru yn 1961 yn gyflwynydd y rhaglen Gymraeg ddyddiol 'Heddiw', a phenodwyd ef yn Bennaeth Rhaglenni yn 1970 lle y treuliodd bedair blynedd cyn ei ddyrchafu yn Rheolwr BBC Cymru. Bu'n dal y swydd ddylanwadol hon o 1974 hyd at 1981 pan ddaeth yn Gyfarwyddwr cyntaf S4C hyd nes iddo ymddeol yn 1989. Bu Owen Edwards yn Gadeirydd Cymdeithas Ffilm a Theledu Celtaidd o 1983 hyd at 1985, ac o 1989 hyd at 1991. Derbyniodd wobrau yn gydnabyddiaeth o'i lwyddiannau yng Nghymru, yn eu plith Ll.D oddi wrth Brifysgol Cymru, Gwobr Arbennig gan BAFTA Cymru a Medal Aur Cymdeithas Frenhinol y Teledu.

Owen Edwards, a native of Aberystwyth, was born in 1933 and is the son of Sir Ifan ab Owen Edwards, the founder of Urdd Gobaith Cymru. He joined BBC Wales in 1961 as the presenter of the daily Welsh language television programme, Heddiw, and was appointed Head of Programmes in 1970, where he remained for four years until his promotion as Controller BBC Wales. He held this influential post from 1974 to 1981 when he became the founder Director of S4C until his retirement in 1989. Owen Edwards was Chairman of the Celtic Film and Television Association from 1983 to 1985 and from 1989 to 1991. Awards acknowledging his achievements in Wales include an Honorary Ll.D. from the University of Wales, a Special Award by BAFTA Cymru and the Gold Medal of the Royal Television Society.

Owen Edwards 1983
olew ar ganfas/*oil on canvas* 24" x 20"

Jâms Nicholas

Ganwyd Jâms Nicholas, y bardd cadeiriol ac Archdderwydd Cymru ar un adeg, yn 1928 yn Nhŷddewi. Penodwyd ef yn brifathro Ysgol y Preselau, Crymych yn 1963, ac yn dilyn hynny bu'n Arolygydd Ysgolion o 1975 tan ei ymddeoliad. Cyhoeddodd ddwy gyfrol o farddoniaeth Gymraeg, *Olwynion*, yn 1967, ac yn 1969, *Cerddi'r Llanw*. Ffocws ei waith beirniadol yw Waldo Williams, un arall o feirdd Sir Benfro, fel a welwyd mewn traethawd 1975 a ymddangosodd yn y gyfres *Writers of Wales*, ac yn ei olygyddiaeth o'r gyfrol deyrnged *Waldo* yn 1977. Yn ogystal, y mae wedi ysgrifennu ar fywyd a gwaith y bardd, newyddiadurwr gwleidyddol, deintydd a Marcsydd, T E Nicholas. Enillodd Jâms Nicholas y Gadair yn Eisteddfod Genedlaethol y Fflint yn 1969 a bu'n Archdderwydd yr Eisteddfod o 1981 hyd at 1984. Mae'n byw ym Mangor yn awr.

Jâms Nicholas, chaired poet and one time Archdruid of Wales, was born in 1928 at St David's. He was appointed headmaster of Ysgol y Preselau, Crymych in 1963, and was subsequently an Inspector of Schools from 1975 until his retirement. He has published two volumes of poetry in Welsh, *Olwynion*, in 1967, and in 1969, *Cerddi'r Llanw*. His critical work is focused on fellow Pembrokeshire poet, Waldo Williams, as in a 1975 monograph included in the *Writers of Wales* series, and his editorship of the tribute volume *Waldo* in 1977. He has also written on the life and works of the poet, political journalist, dentist and Marxist, T E Nicholas. Jâms Nicholas won the Chair at the Flint National Eisteddfod in 1969 and was officiating Archdruid for the Eisteddfod from 1981 to 1984. He now lives in Bangor.

Jâms Nicholas 1983
olew ar ganfas/*oil on canvas* 40" x 30"

Y Gwir yn
erbyn y Byd
Heb Dduw Heb Ddim
Duw a Digon
Y Gwir yn
erbyn y Byd
Heb Dduw
Duw a Digon

Elwyn Jones

Ganwyd ef yn 1909 yn Llanelli, a derbyniodd y cyfreithiwr a'r gwleidydd enwog hwn y teitl Barwn Frederick Elwyn-Jones Llanelli a Newham yn 1974. I ddechrau hyfforddwyd ef fel bargyfreithiwr ac ysbardunodd ymlaen, gan wasanaethu fel Dirprwy Farnwr Adfocad yn ystod y Pedwardegau, dod yn Gwnsler y Frenhines yn 1953 gan gyflawni rôl Twrnai Cyffredinol yn ystod y Chwedegau ac yn y pen draw dod yn Arglwydd Apêl yn 1979. O 1945 gwasanaethodd fel AS Llafur gan gynrychioli gwahanol etholaethau: Plaistow tan 1950, De West Ham 1950 hyd at 1974, a De Newham yn 1974. Hon hefyd oedd y flwyddyn y daeth yn Arglwydd Uchel Ganghellor gan wasanaethu tan 1979. Pan roedd yn dal yn ei dridegau cafodd ei enwebu yn un o Weinyddwyr Troseddau Rhyfel Prydain Fawr yn Nuremberg yn 1945 a pharhaodd y gwladweinyddiaeth hon mewn blynyddoedd diweddarach, fel y mae'n cael ei adlewyrchu yn ei statws fel Sylwedydd y Deyrnas Gyfunol yn Refferendwm Malta yn 1964. Mae cyhoeddiadau Arglwydd Elwyn-Jones yn cynnwys ei hunangofiant *In My Time*, a *The Battle for Peace* (1938). Bu farw yn 1989.

Born in 1909 in Llanelli, this eminent lawyer and politician was dubbed Baron Frederick Elwyn-Jones of Llanelli and Newham in 1974. He trained initially as a barrister and rose meteorically, serving as a Deputy Judge Advocate during the Forties, becoming a QC in 1953, fulfilling the role of Attorney General during the Sixties and ultimately becoming a Lord of Appeal in 1979. From 1945 he served as a Labour MP, representing various constituencies: Plaistow until 1950, West Ham South 1950 to 1974, and Newham South in 1974. This was also the year in which he became Lord High Chancellor, serving until 1979. When still in his thirties he was numbered among the British War Crimes Executive at Nuremberg in 1945, and this statesmanship continued in later years, as reflected in his status as UK Observer at the Malta Referendum in 1964. Lord Elwyn-Jones' publications include his autobiography, *In My Time*, and *The Battle for Peace* (1938). He died in 1989.

Elwyn Jones 1984
olew ar ganfas/*oil on canvas* 40" x 30"

Gwyn Erfyl

Gweinidog a darlledwr cyfrwng Cymraeg ar gyfer radio a theledu yw Gwyn Erfyl. Mae'n awdur llyfrau Cymraeg, gan gynnwys detholiad o eitemau'n dathlu Radio Cymru, a thraethodau ar ffydd. Yn dilyn cyfnod fel darlithydd mewn Athroniaeth yng Ngholeg Harlech ordeiniwyd ef yn weinidog gyda'r Annibynwyr â chyfrifoldeb i ddechrau am gapeli yn Nhrawsfynydd, ac yna yng Nglanaman a Chaerdydd. O 1975 hyd at 1979 bu'n olygydd *Barn*, y cylchgrawn Cymraeg misol. Yn ddarlledwr poblogaidd a hoffus, yn bennaf ar gyfer Radio Cymru ac S4C, mae Gwyn Erfyl yn awdur *Radio Cymru, Detholiad o Raglenni Cymraeg y BBC, 1934-1989*, *Cerddi Gwyn Erfyl*, 1971, *Credaf* a gyhoeddwyd yn 1985, a *Trwy Ddirgel Ffyrdd*, 1997. Yn ogystal golygodd nifer o gyhoeddiadau, gan gynnwys, *Y Teithiwr Talog* 1998, *Y Teithiwr Talog (2)* 1998 a *Cyfrol Deyrnged Jennie Eirian*, 1985. Erbyn hyn y mae wedi ymddeol ac yn byw yng Nghaernarfon. Comisiynwyd y portread hwn ohono gan HTV i nodi ei ymddeoliad.

Gwyn Erfyl is a minister, a Welsh-medium broadcaster for radio and television, and an author of Welsh books, including an anthology of items celebrating Radio Cymru, and essays on faith. Following a period as lecturer in Philosophy at Coleg Harlech he was ordained a Congregational minister with responsibility for chapels firstly in Trawsfynydd, and later in Glanaman and Cardiff. From 1975 to 1979 he was editor of *Barn*, the Welsh monthly magazine. An affectionately regarded and popular broadcaster, mainly for Radio Cymru and S4C, Gwyn Erfyl is the author of *Radio Cymru, Detholiad o Raglenni Cymraeg y BBC, 1934-1989*, *Cerddi Gwyn Erfyl*, 1971, *Credaf* published in 1985, and *Trwy Ddirgel Ffyrdd*, 1997. He has also edited a number of publications including , *Y Teithiwr Talog*, 1998, *Y Teithiwr Talog (2)*, 1998 and *Cyfrol Dyrnged Jennie Eirian*, 1985. He is now retired and lives in Caernarfon. This portrait of him was commissioned by HTV to mark his retirement.

Gwyn Erfyl 1985
olew ar ganfas/*oil on canvas* 40" x 30"

W. Emrys Evans

Brodor o Sir Drefaldwyn yw W Emrys Evans ac fe'i ganwyd yn 1924. Ac eithrio pedair blynedd yn y Llynges Frenhinol yn ystod yr Ail Ryfel Byd treuliodd ei holl yrfa ym myd bancio. Bu'n Rheolwr Cyffredinol Cynorthwyol (Amaethyddiaeth) am bum mlynedd ac yn Uwch Gyfarwyddwr Rhanbarthol dros Gymru i Fanc y Midland o 1972 hyd at ei ymddeoliad yn 1984. Am 12 mlynedd bu'n Gyfarwyddwr Bwrdd Datblygu Cymru Wledig, a Chadeirydd C.B.I. Cymru o 1979 i 1981. Er 1973 mae wedi bod yn aelod gweithgar o Gymdeithas Amaethyddol Brenhinol Cymru ac yn 1999 etholwyd ef yn Gadeirydd y Bwrdd Rheoli. Penodiadau eraill a ddaeth i'w ran oedd Cadeiryddiaeth Menter a Busnes o 1988 hyd 1999, Llywydd yr Eisteddfod Genedlaethol o 1981 hyd 1983, Trysorydd Undeb yr Annibynwyr Cymraeg o 1975 i 1986, a Llywydd yn 1989. Mae Dr Emrys Evans CBE yn Gyn-Drysorydd Prifysgol Cymru, a bu'n Gadeirydd Cyngor Prifysgol Abertawe am 14 o flynyddoedd. Yn ogystal, mae'n Ymddiriedolwr nifer o elusennau, gan gynnwys Apêl Ysbyty Plant Cymru. Derbyniodd Ddoethuriaeth er Anrhydedd gan Brifysgol Cymru yn 1983, a hefyd mae'n ddeilydd nifer o gymrodoriaethau.

Born in 1924, W. Emrys Evans is a native of Montgomeryshire. Apart from four years in the Royal Navy during World War II his whole career has been in banking. He was an Assistant General Manager (Agriculture) for five years and Senior Regional Director Wales for the Midland Bank from 1972 until his retirement in 1984. A Director of the Development Board for Rural Wales for 12 years, and Chairman of C.B.I. Wales from 1979 to 1981. Since 1973 he has been an active member of the Royal Welsh Agricultural Society, and in 1999 he was elected Chairman of the Board of Management. Other appointments include the Chairmanship of Menter a Busnes from 1988 to 1999, President of the National Eisteddfod 1981 to 1983, Treasurer of Undeb yr Annibynwyr Cymraeg from 1975 to 1986, and President in 1989. Dr Emrys Evans CBE is a former Treasurer of the University of Wales, and Chairman of the Council at Swansea University for 14 years. He is a Trustee of several charities, including The Children's Hospital for Wales Appeal. Awarded an Honorary Doctorate from the University of Wales in 1983, he also holds numerous fellowships.

W. Emrys Evans 1986
olew ar ganfas/*oil on canvas* 40" x 30"

Cecil Bevan

Ganed Dr Cecil Wilfrid Luscombe Bevan CBE yn 1920. Cafodd yrfa lewyrchus ym maes cemeg, gan ddod yn Athro a Phennaeth Cemeg ym Mhrifysgol Ibadan o 1953 hyd 1966. Fe'i penodwyd yn Brifathro ym Mhrifysgol Cymru Caerdydd yn 1966 a daliodd y swydd honno hyd 1987. Derbyniodd Gymrodoriaeth er Anrhydedd gan Brifysgol Cymru Caerdydd yn 1982. Bu'n Is-Ganghellor Prifysgol Cymru o 1973 hyd 1975, ac o 1981 hyd 1983. Mae ei gyhoeddiadau academaidd i'w gweld yn bennaf yn *The Chemical Society Journal* o 1951 ymlaen. Fe'i hetholwyd yn Gymrodor o University College Llundain yn 1969 ac yn Officier des Palmes Académiques yn 1986. Cymeriad lliwgar a charismataidd oedd Cecil Bevan, yn ôl yr arlunydd David Griffiths. Bu farw Dr Bevan yn 1989.

Born in 1920, Dr Cecil Wilfrid Luscombe Bevan, CBE, studied and followed a lifetime's career in chemistry, rising to be Professor and Head of Chemistry at the University of Ibadan from 1953 to 1966. He was Principal of the University College Cardiff from 1966 to 1987. He was awarded an Honorary Fellowship by Cardiff in 1982. He was Vice-Chancellor of the University of Wales from 1973 to 1975, and from 1981 to 1983. His published papers have appeared mainly in the *Chemical Society Journal* from 1951 onwards. He was a fellow of University College London from 1969 and was awarded the Officier des Palmes Académiques in 1986. David Griffiths describes Dr Bevan as a "colourful and charismatic character". Dr Bevan died in 1989.

Cecil Bevan 1988
olew ar ganfas/*oil on canvas* 60" x 48"

Enoch Powell

Ganwyd John Enoch Powell yn 1912. Yn glasurydd, ac yn frigadydd adeg y rhyfel, nid anghofiodd ei wreiddiau Cymreig erioed. Roedd yn ŵr a chanddo gyneddfau deallusol aruthrol; dysgodd Gymraeg a siaradai ddeg iaith arall. Etholwyd ef yn AS Ceidwadol dros Wolverhampton yn 1950, etholaeth a wasanaethodd am 24 mlynedd. Er iddo wasanaethu mewn gwahanol swyddi yn y Llywodraeth rhwng 1955 a 1963, ni ymunodd â'r Cabinet tan 1962, ac yn ystod y cyfnod hwn fe ymddiswyddodd un waith a gwrthododd ddyrchafiad un waith, a hynny ynglŷn ag anghydfod ar faterion polisi, gan adlewyrchu ei ymlyniad nodweddiadol wrth egwyddor. Bu hyn, ynghyd â'i farn radicalaidd ar amddiffyn ac ymrwymiadau tramor, yn fodd iddo ddod yn ffigwr sylweddol o fewn ei blaid. Cyflwynodd ei araith Afonydd Gwaed yn 1968, gan rybuddio yn erbyn peryglon mewnfudo'r boblogaeth liw ar raddfa fawr, araith a barodd iddo gael ei symud o Gabinet yr wrthblaid. Gan anghydweld ag agwedd Edward Heath at Ewrop, gadawodd Enoch Powell y Toriaid yn 1975, ond dychwelodd i San Steffan y flwyddyn honno fel Unoliaethwr Wlster gan fod yn gynrychiolydd tan 1987. Roedd ei gyhoeddiadau yn ymestyn o'r academaidd a'r llenyddol i'r gwleidyddol. Bu farw Enoch Powell yn 1998.

John Enoch Powell was born in 1912. Originally a classicist and wartime brigadier who served in India, he never forgot his Welsh roots. Possessed of a formidable intellect, he taught himself Welsh and spoke ten other languages. He was elected Conservative MP for Wolverhampton in 1950, a constituency he served for 24 years. Though he served in various Government offices between 1955 and 1963, he did not enter the Cabinet until 1962, and during this period he resigned once and declined promotion once, both over policy differences, reflecting a characteristic adherence to principle. This, together with his radical views on defence and foreign commitments, made him a significant figure within his party. This escalated into general notoriety when in 1968 he made his 'Rivers of Blood' speech, warning of the dangers of large-scale non-white immigration, a speech which led to his removal from the shadow Cabinet. Disagreeing with Edward Heath's approach to Europe, Enoch Powell quit the Tories in 1975, but returned to Parliament that year as an Ulster Unionist, whom he represented until 1987. His publications ranged from the academic and literary to the political. Enoch Powell died in 1998.

Enoch Powell 1989
olew ar ganfas/*oil on canvas* 40" x 30"

Peter Philp

Ganwyd Peter Philp yn 1920. Mae'n ddramodydd, yn awdur ac yn arbenigwr ar gelf a hynafolion. Hyfforddwyd ef yn gynllunydd dodrefn ond newidiodd i astudio hynafolion o 1942 ymlaen. Mae wedi ysgrifennu oddeutu ugain drama ar gyfer y llwyfan, y teledu a'r radio. Y rhai mwyaf nodedig yw *The Castle of Deception* a *Love and Lunacy*. O ganlyniad i'r gweithiau hyn enillodd wobrau, gan gynnwys y Kidderminster Prize, y CH Foyle Award a'r Ustinov Award. Bu'n darlithio am rai blynyddoedd ar hanes a gwerthfawrogi celf ym Mhrifysgol Cymru Caerdydd. Mae'n awdur tri llyfr a nifer o erthyglau ar gelf a hynafolion, ac mae'n cyfrannu'n gyson i *The Times* a chylchgronau arbenigol ar hynafolion.

Born in 1920, Peter Philp is a playwright, author, and a specialist on art and antiques. He trained as a furniture designer, switching to studying antiques from 1942 onwards. He has written around twenty plays for stage, television and radio, most notably *The Castle of Deception* and *Love and Lunacy*. These works have won awards, including the Kidderminster Prize, the CH Foyle Award and the Ustinov Award. He lectured for some years on art history and appreciation at University of Wales Cardiff, is the author of three books and many articles on art and antiques, and contributes regularly to *The Times* and specialist antique journals.

Peter Philp 1990
sercol a sialc/*charcoal and chalk* 16" x 20"

George Noakes

Ganwyd Y Gwir Barchedig Archesgob George Noakes yn 1924 a magwyd ef ym Mwlch-llan, Tregaron. Cafodd ei addysg ym Mhrifysgol Cymru Aberystwyth, gan raddio yn 1948 a pharhau â'i astudiaethau yn Rhydychen. Cychwynnodd ei yrfa glerigol yn 1950 pan sefydlwyd ef yn gurad yn Llanbedr Pont Steffan. O 1956 gwasanaethodd fel Ficer yn Eglwyswrw gan ddychwelyd i weinidogaethu yn Nhregaron yn 1959 lle'r arhosodd tan 1967. Yna penodwyd Dr Noakes yn Ficer Eglwys Dewi Sant, Caerdydd, ac arhosodd yno am y cyfnod 1967-1976. Ar ôl blwyddyn o wasanaethu yn Aberystwyth, gwnaed ef yn Ganon Eglwys Gadeiriol Tŷddewi yn 1977. Arhosodd yno tan 1979, pan ddaeth yn Archddiacon Aberteifi, a bu yno tan 1982 pan anrhydeddwyd ef â'r teitl Esgob Tŷddewi. Cafodd Y Gwir Barchedig George Noakes ei orseddu yn Archesgob Cymru yn 1987, a chyflawnodd y swydd honno tan 1991. Dyfarnwyd iddo ddoethuriaeth er anrhydedd gan Brifysgol Cymru yn 1989.

Born in 1924, the Rt Revd Archbishop George Noakes grew up in Bwlch-llan, Tregaron. He was educated at UCW Aberystwyth, graduating in 1948, and continuing his studies at Oxford. His clerical career started as curate of Lampeter, commencing in 1950. From 1956 he served Eglwyswrw as Vicar, returning to minister to Tregaron in 1959, where he stayed until 1967. Dr Noakes was then appointed Vicar of Eglwys Dewi Sant, Cardiff, remaining for the period 1967-1976. Following a year serving Aberystwyth, he was made Canon of St David's Cathedral in 1977, where he remained until 1979. He then became Arch-deacon of Cardigan until 1982, when he was honoured with the title Bishop of St David's. The Rt Rev George Noakes was enthroned as Archbishop of Wales in 1987, and remained so until 1991. He was awarded an honorary doctorate by the University of Wales in 1989.

George Noakes 1991
olew ar ganfas/*oil on canvas* 40" x 30"

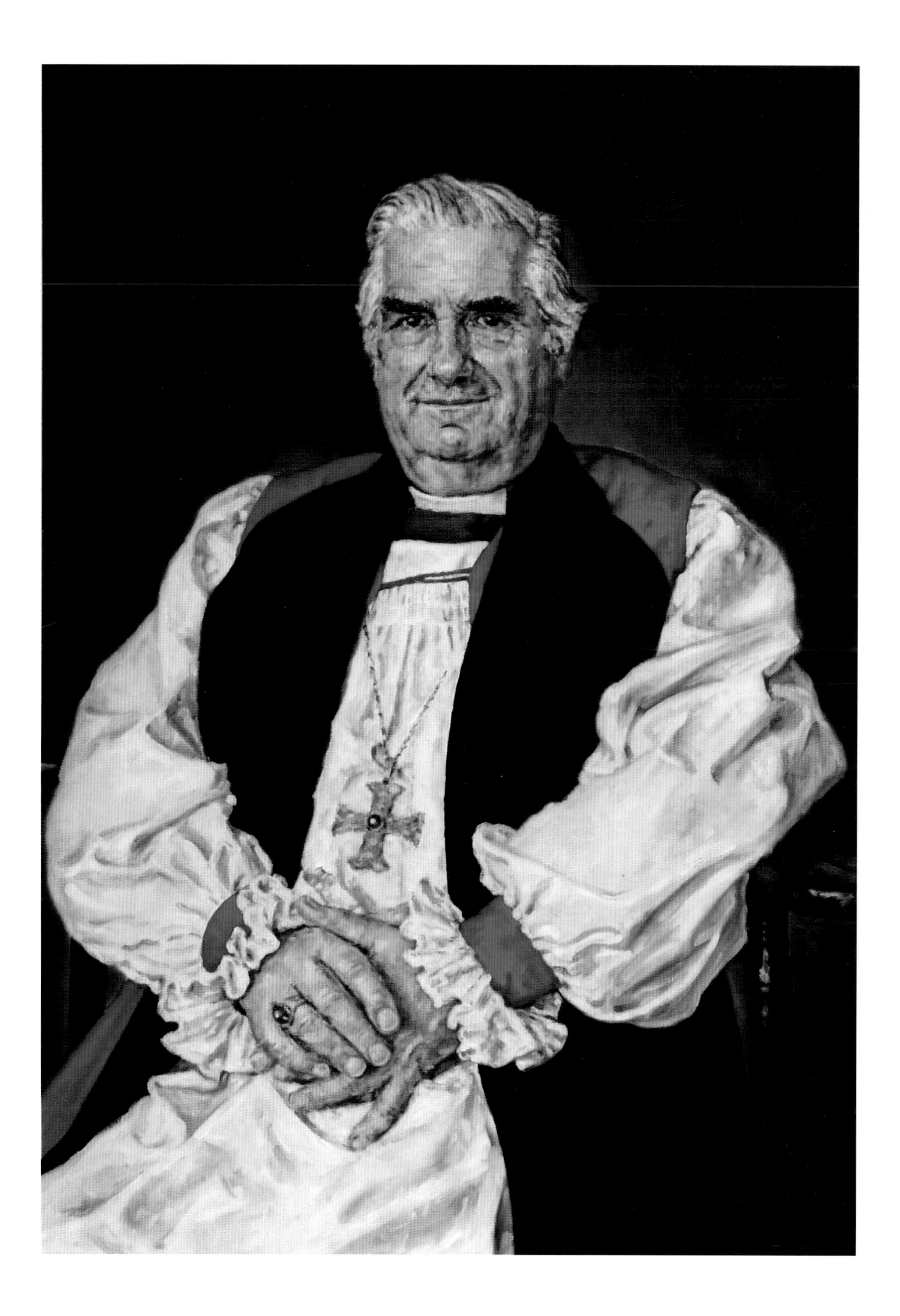

Arthur Giardelli

Wedi ei eni yn Llundain yn 1911, mynychodd Arthur Giardelli, MBE, Ysgol Gelf Ruskin, tra'n cymeryd gradd mewn ieithoedd yn Rhydychen. Mae wedi treulio'r rhan fwyaf o'i fywyd yng Nghymru ac yn ystod y 40au gweithiodd gyda Chymdeithas Gelf Merthyr (Cangen o Sefydliad Dowlais) gan ddod dan ddylanwad Cedric Morris. Yr oedd ei gyfeillion yn cynnwys Heinz Koppel, David Jones a Ceri Richards. Ar ôl y rhyfel, tra'n byw ym Mhentywyn, fe'i penodwyd yn ddarlithydd yn Adran Efrydiau Allanol Coleg Prifysgol Cymru, Aberystwyth; parhaodd i ddysgu yno'n rhan amser tan bron yn 89 oed. Sefydlodd stiwdio yn Warren, Sir Benfro, yn 1969, lle mae'n dal i arddangos ei waith. Yn arlunydd o bwys Ewropeaidd, mae'n enwog am ei luniadau a'i gerfweddau a ysbrydolwyd gan eitemau wedi darganfod ar arfordir Sir Benfro. Mae gweithiau eraill yn cynnwys gweddillion watsys a thapiau pres. Bu'n Gadeirydd Grŵp 56 Cymru am ddeugain mlynedd, gan drefnu arddangosfeydd ledled Ewrop. Mae wedi ennill llawer o wobrau, gan gynnwys Medal Aur Eisteddfod Genedlaethol Cymru, 1970. Gellir gweld ei waith mewn nifer o gasgliadau preifat a chyhoeddus gan gynnwys Tate Britain ac Amgueddfeydd ac Orielau Cenedlaethol Cymru.

Born in London in 1911, Arthur Giardelli, MBE, attended the Ruskin School of Art whilst taking a degree in languages at Oxford. He has spent most of his life in Wales and during the forties he worked with the Merthyr Art Society (a branch of the Dowlais Settlement), meeting and coming under the influence of Cedric Morris. His friends included Heinz Koppel, David Jones and Ceri Richards. After the war, whilst living in Pendine, he was appointed lecturer in the Extra Mural Department of the University College of Wales, Aberystwyth; he continued as a part-time lecturer until his 89th year. He set up a studio at Warren, Pembrokeshire, in 1969 where he still exhibits his work. An artist of European significance, he is known for his constructions and relief sculptures inspired by found objects from the Pembrokeshire coast. The basis of his work also includes man-made objects such as watches and brass taps. He was Chairman of 56 Group Wales for forty years, organising its exhibitions throughout Europe. His work has attracted many awards, including the 1970 Gold Medal at the National Eisteddfod of Wales. His work can be seen in many public and private collections, including Tate Britain and the National Museums and Galleries of Wales.

Arthur Giardelli 1993
olew ar ganfas/*oil on canvas* 40" x 30"

John Elfed Jones

Ganwyd John Elfed Jones CBE, D.L. ym Maentwrog, Gwynedd, yn 1933. Hyfforddwyd ef yn beiriannydd siartredig a gweithiodd yn ystod y chwedegau mewn gorsafoedd pŵer o amgylch Cymru. Cafodd ei swydd gyhoeddus amlwg gyntaf pan benodwyd ef yn Gyfarwyddwr Diwydiannol yn y Swyddfa Gymreig yn 1979, swydd y bu ynddi hyd at 1982. Yn ystod 1982 daeth yn Gadeirydd Awdurdod Dŵr Cymru (Dŵr Cymru plc yn ddiweddarach), gan barhau felly tan 1993. Yn ogystal, yn y cyfnod hwn bu'n gadeirydd Bwrdd yr Iaith Gymraeg am bum mlynedd. Yn 1990 penodwyd ef yn Gyfarwyddwr HTV Cymru/Wales, a gweithredodd fel ei Gadeirydd o 1992 hyd at 1996. Am ddwy flynedd o 1997 bu John Elfed Jones yn Gadeirydd Grŵp Ymgynghorol Cynulliad Cenedlaethol Cymru. Mae wedi bod yn Gadeirydd International Greetings plc er 1996, a bu'n Llywydd Cyngor Diogelu Cymru Wledig rhwng 1995 a 2001. Mae'n ddeilydd nifer o ddoethuriaethau er anrhydedd a chymrodoriaethau.

John Elfed Jones CBE, D.L., was born in Maentwrog, Gwynedd, in 1933. He is by training a chartered engineer and worked during the 1960s at power stations around Wales. His first high-profile public office came when he was appointed Industrial Director at the Welsh Office in 1979, a post he held until 1982. During the latter year he became Chairman of the Welsh Water Authority (later Welsh Water plc), remaining so until 1993. In this period he also chaired the Welsh Language Board for five years. In 1990 he became Director of HTV Cymru/Wales, and acted as its Chairman from 1992 to 1996. For two years from 1997 John Elfed Jones was Chairman of the Advisory Group to the National Assembly for Wales. He has been Chairman of International Greetings plc since 1996, and presided over the Council for the Preservation of Rural Wales between 1995 and 2001. He holds numerous honorary doctorates and fellowships.

John Elfed Jones 1993
olew ar ganfas/*oil on canvas* 40" x 30"

Peter Prendergast

Ystyrir Peter Prendergast yn un o'r arlunwyr tirluniau mwyaf nodedig ym Mhrydain. Ganwyd ef yn Abertridwr yn 1946, derbyniodd ei hyfforddiant yn y Slade a Choleg Celf Caerdydd. Yn fab i löwr, bu'r Cymoedd diwydiannol yn fodd i lunio profiadau ei blentyndod gan ymdreiddio i'w ymateb diweddarach i fynyddoedd ei gartref er 1970, ym Methesda, Gwynedd. Mae ei ymdriniaeth artistig o fynyddoedd geirwon Eryri yn amlygu mynegiant di-ofn. Mae stiwdio Prendergast yn wynebu'r bryniau tywyll sy'n gogwyddo tuag ati ac mae'n eu peintio mewn arddull ffres a bywiog. Ei lwyddiant arbennig o hyd yw ei benderfyniad i arddangos ymateb emosiynol i'r tirwedd. Mae Peter Prendergast wedi arddangos ei waith ar raddfa eang ym Mhrydain a thramor, a gwelir ei waith mewn casgliadau cyhoeddus a phreifat, gan gynnwys Oriel y Tate, Amgueddfeydd ac Orielau Cenedlaethol Cymru a chasgliad Cyngor Celfyddydau Cymru.

Peter Prendergast is considered one of the outstanding landscape painters in Britain. Born in Abertridwr in 1946, he trained at the Slade and at Cardiff College of Art. A coalminer's son, the industrial Valleys shaped his childhood experiences, which were to be absorbed into his later responses to the mountains of his home since 1970, at Bethesda, Gwynedd. His work treats the wild Snowdonian mountains with bold expressionism. Prendergast has a studio which faces the dark and leaning hills and he paints them with a freshness and lively style. His determination to exhibit an emotional response to the landscape remains his great achievement. Peter Prendergast has exhibited widely in Britain and abroad, and his work is in public and private collections, including The Tate Gallery, the National Museums and Galleries of Wales, and the Arts Council of Wales collection.

Peter Prendergast 1993
olew ar ganfas/*oil on canvas* 40" x 30"

Kyffin Williams

Syr Kyffin Williams OBE yw un o'r artistiaid cyfoes uchaf ei barch yng Nghymru, yn fwyaf enwog am ei dirluniau o Gymru wledig ac am ei bortreadau. Ganwyd ef yn 1918 a bu'n byw yn Llundain am ran helaeth o'i yrfa tra'n dal i beintio tirluniau o ogledd Cymru. Fel un a fu'n feirniad o'r pumdegau ar yr ysgolion celf oherwydd iddynt ymwrthod â phwysigrwydd dehongli a phortreadu mewn celf, ac fel un a geryddodd sefydliadau am beidio ag arddangos gwaith brodorol, beirniadwyd ef ei hun mewn rhai cylchoedd am barhau i beintio'r tirwedd Cymreig. Daeth yn Aelod o'r Academi Frenhinol yn 1974. Cyflwynwyd arddangosfeydd unigol o'i waith o gwmpas y Deyrnas Gyfunol ac i gynulleidfa ehangach. Mae Syr Kyffin Williams OBE wedi cyhoeddi nifer o gyfrolau sy'n rhoi lle blaenllaw i'w bortreadau, ei dirluniau a'i ddarluniau. Ar hyn o bryd mae'n byw ac yn gweithio ar Ynys Môn.

Sir Kyffin Williams OBE is one of Wales's most highly-regarded contemporary painters, best known for his landscapes of rural Wales and his portraiture work. Born in 1918, he lived in London for much of his career, while continuing to paint the landscapes of north Wales. A critic, from the fifties, of art schools that denied the importance of drawing and representation in art, and a censurer of institutions for neglecting to exhibit indigenous work, he has himself been criticised in some quarters for persisting in painting the Welsh landscape. He became a Royal Academician in 1974. Solo exhibitions of work by him have been presented around the UK and to a wider audience. Sir Kyffin Williams OBE has numerous publications to his name, featuring his portraits, landscapes and drawings. He currently lives and works on Anglesey.

Kyffin Williams 1993
olew ar ganfas/*oil on canvas* 40" x 30"

William MacRae

Bu Dr William MacRae yn Anesthetydd Ymgynghorol yn y Royal Infirmary Caeredin ac yn Uwchddarlithydd Anrhydeddus ym Mhrifysgol Caeredin o 1964 hyd nes iddo ymddeol o bractis clinigol yn 1997. Dyfarnwyd iddo Fedal Arian John Snow am ei wasanaeth i anesthesia yn dilyn ei gyfnod fel Llywydd Cymdeithas Anesthetyddion Prydain Fawr ac Iwerddon o 1992 i 1994. Daeth yn Is-lywydd Hŷn Coleg Brenhinol yr Anesthetyddion yn 1998. Mae Dr MacRae wedi cynrychioli anesthesia Prydain ar Bwyllgor Gwaith Ffederasiwn Byd-eang Cymdeithasau Anesthesioleg, gan gadeirio ei Bwyllgor Statudau ac Is-ddeddfau am wyth mlynedd. Ar un adeg bu'n Academydd etholedig o Academi Frenhinol Anesthesioleg Ewrop. Yn ogystal ef oedd is-olygydd cyntaf yr *European Journal of Anaesthesiology*, ac mae ganddo gyhoeddiadau ar nifer o bynciau mewn cyfnodolion sy'n cael eu hadolygu gan gyfoedion ac mae hefyd yn gyd-olygydd gwerslyfr ar dechnegau anesthetig. Mae Dr MacRae wedi derbyn nifer o gymrodoriaethau er anrhydedd. Hyd yn ddiweddar roedd yn gydlynydd Cynllun Meddygon Claf Cymdeithas Anesthetyddion.

Dr William MacRae was Consultant Anaesthestist in the Royal Infirmary of Edinburgh, and Honorary Senior Lecturer at the University of Edinburgh from 1964 until his retirement from clinical practice in 1997. He was awarded the John Snow Silver Medal for services to anaesthesia following his period as President of the Association of Anaesthetists of Great Britain and Ireland, from 1992 to 1994. He became Senior Vice-President of the Royal College of Anaesthetists in 1998. Dr MacRae has represented British anaesthesia on the Executive Committee of the World Federation of Societies of Anaesthesiology, chairing its Statutes and Byelaws Committee for eight years. He was an elected Academician of the European Academy of Anaesthesiology. He was also a founder Assistant Editor of the *European Journal of Anaesthesiology*, has published in peer-reviewed journals on a number of topics, and is the joint editor of a textbook on anaesthetic techniques. Numerous honorary fellowships have been awarded to Dr MacRae. Until recently he was co-ordinator of the Association of Anaesthetists' Sick Doctor Scheme.

William MacRae 1994
olew ar ganfas/*oil on canvas* 24" x 20"

Will Roberts

Yn enedigol o Rhiwabon, 1907, symudodd Will Roberts, RCA, gyda'i deulu i Gastell-nedd gan fyw yno am y rhan helaethaf o'i oes hir. Ar ôl mynychu Ysgol Gelf Abertawe rhwng 1928 a 1932, daeth Will Roberts i sylw'r cyhoedd am y tro cyntaf yn y 40au hwyr a'r 50au cynnar mewn arddangosfeydd gan Gyngor y Celfyddydau, yn enwedig, *British Romantic Painting in the 20th Century*. Yn 1962, dyfarnwyd y Byng Stamper Prize iddo am Farm at Cimla. Dewisodd ef bortreadu'r golygfeydd cyffredin yn hytrach na'r rhai godidog o gwmpas Castell-nedd diwydiant y dref, a phobl gyffredin yn sgwrsio â'i gilydd. Elfen arall o'i waith yw paentiadau crefyddol grymus. Gwelwyd gwaith Roberts yn cael ei arddangos yn aml yn Eisteddfod Genedlaethol Cymru o'r 50au ymlaen. Yn ogystal, daeth yn aelod o Academi Frenhinol Cymru. Yn 1992, dyfarnwyd iddo gymrodoriaeth er anrhydedd gan Brifysgol Cymru Abertawe. Byddai'n arddangos ei waith yn rheolaidd yn Arddangosfa Haf yr Academi Frenhinol. Cyflwynwyd casgliad gwych o'i weithiau ar bapur i Lyfrgell Genedlaethol Cymru ym mis Medi 1998, a rhwng 2001 a 2002 cafwyd arddangosfa goffa nodedig o waith Will Roberts. Arddangosfa oedd hon a gychwynnwyd gan y Llyfrgell a theithiodd ledled Cymru. Bu farw yn 2000.

Born in Ruabon in 1907, Will Roberts, RCA, moved with his family to Neath, where he was to live for most of his long life. Having attended Swansea Art School between 1928 and 1932, Will Roberts first came to public attention in the late 1940s and early 1950s in Arts Council exhibitions, notably *British Romantic Painting in the 20th Century*. In 1962, he was awarded the Byng Stamper Prize for Farm at Cimla. He chose to depict the everyday rather than the grand landscapes around Neath the town's industry, and ordinary people in conversation. Powerful religious paintings form another strand to his work. Roberts's work was often exhibited at the National Eisteddfod of Wales from the 1950s onwards. He also became a member of the Royal Cambrian Academy. In 1992, he was awarded an honorary fellowship of the University of Wales, Swansea. He regularly exhibited in the Royal Academy's Summer Exhibition. A magnificent collection of his works on paper was presented to The National Library of Wales in September 1998, and a major memorial exhibition of Will Roberts's work, originated by the Library, toured Wales between 2001 and 2002. He died in 2000.

Will Roberts 1994
olew ar ganfas/*oil on canvas* 40" x 30"

David Griffiths

Siân Phillips

Yn fodor o Wauncaegurwen, ganwyd Siân Phillips CBE yn 1934. Mae hi'n actores enwog y llwyfan, ffilm a theledu ac mae wedi ymddangos mewn dramâu megis *Ride a Cock Horse*, 1965; *An Inspector Calls*, 1995; *Marlene* yn 1996, a *Lettice and Lovage* yn 2001. Ymysg ei hymddangosiadau mewn cyfresi dramâu teledu y mae *How Green was my Valley*, 1975; *I, Claudius*, 1976, a *The Borrowers*, 1992 a 1993. Mae ei ffilmiau teledu yn cynnwys y ffilm fywgraffiadol *Siân* yn 1987. Ymhlith ei ffilmiau niferus y mae *Beckett*, 1963; *Goodbye Mr Chips*, 1968; *Under Milk Wood*, 1971; *House of America*, 1996 a *Coming and Going*, 2000. Derbyniodd wobrau BAFTA am ei rôl yn *I, Claudius*, *How Green was my Valley* a *The Borrowers*. Hefyd bu'n destun edmygedd y beirniaid, gan sicrhau llond gwlad o wobrau, yn ogystal â chanmoliaeth gan Gymdeithas Frenhinol y Teledu. Mae'n aelod o Orsedd y Beirdd er 1960, a chanddi lawer o ddoethuriaethau a chymrodoriaethau er anrhydedd. Mae Siân Phillips yn llywodraethwr ar nifer o sefydliadau, gan gynnwys Coleg Cerdd a Drama Cymru. Cyhoeddwyd rhan gyntaf ei hunangofiant, *Private Faces*, yn 1999.

A native of Gwauncaegurwen, Siân Phillips CBE was born in 1934. A celebrated actress of stage, film, and television, she has appeared in plays such as *Ride a Cock Horse*, 1965; *An Inspector Calls*, 1995; *Marlene* in 1996, and *Lettice and Lovage* in 2001. Among her TV drama series appearances are *How Green was my Valley*, 1975; *I, Claudius*, 1976, and *The Borrowers*, 1992 and 1993. Her TV films include the biographical film *Siân* in 1987. Among her numerous films are *Beckett*, 1963; *Goodbye Mr Chips*, 1968; *Under Milk Wood*, 1971; *House of America*, 1996 and *Coming and Going*, 2000. She received BAFTA awards for her roles in *I, Claudius*, *How Green was my Valley* and *The Borrowers*. Her work also attracted a plethora of critics' awards, as well as plaudits from the Royal Television Society. She is a member of the Gorsedd of Bards since 1960, and holds many honorary doctorates and fellowships. Siân Phillips is a governor of several institutions, including the Welsh College of Music and Drama. The first part of her autobiography, *Private Faces*, was published in 1999.

Siân Phillips 1995
olew ar ganfas/*oil on canvas* 40" x 30"

Ernest Zobole

Ganwyd Ernest Zobole yn y Rhondda Fawr ac yno y treuliodd y rhan fwyaf o'i oes ac eithrio pedair blynedd yn dysgu ar Ynys Môn. Mynychodd Ysgol Gelf Caerdydd yn ystod 1948-53, ac roedd yn aelod o Grŵp y Rhondda. Ymddangosodd y grŵp hwn fel math o gymdeithas caffi myfyrwyr a thiwtoriaid a drawsosodwyd i'r siwrnai drên o'r Rhondda i'r Ysgol. Nodweddwyd y cyfnod gan optimistiaeth cyffredinol ôl-ryfel, ond i artistiaid megis Zobole a wreiddiwyd mewn caledi dosbarth gweithiol ac a fagwyd ar sosialaeth y Cymoedd, dyma'r adeg i ddathlu eu cymunedau. Boddwyd gweithgareddau'r Grŵp yn yr elfennau hyn. Ei destunau oedd pobl gyffredin a'r tirwedd diwydiannol ac ymdrechodd hefyd i ddatblygu ymwybyddiaeth weledol yn lleol drwy gynnal arddangosfeydd ar raddfa fechan. Llwyddodd Zobole ac aelodau eraill i gyflawni hyn hefyd trwy eu gwaith yn addysgu. Dylanwadwyd Zobole yn anad dim gan Heinz Koppel, yn sefydliad Crynwyr Dowlais. Er bod Zobole yn sylfaenydd y Grŵp 56 avant-garde, parhaodd i ddatblygu'r elfennau brodorol yn ei waith, yn groes i dueddiadau haniaethol a ddaeth yn gyffredin wrth i'r chwedegau fynd rhagddo. Yn nes ymlaen yn ei yrfa, fodd bynnag, arbrofodd Zobole ag arddull realaidd hudol. Bu farw yn 1999 a dyfarnwyd iddo ddoethuriaeth ar ôl marwolaeth gan Brifysgol Morgannwg yn 2001.

Ernest Zobole was born in the Rhondda Fawr, remaining there for most of his life except for four years teaching on Anglesey. He attended Cardiff Art School during 1948-53, and was a member of the Rhondda Group. This Group emerged as a form of cafe society of students and tutors transposed to the train journey from the Rhondda to the School. The period was characterised by general post-war optimism, but for artists such as Zobole, rooted in working class hardship and nurtured by Valleys' socialism, this was a time to celebrate their communities. The Group's activities was suffused in these elements. Its subjects were ordinary people and the industrial landscape, and it also attempted to develop visual awareness locally by mounting small-scale exhibitions; Zobole and other member also achieved this through their teaching. Zobole was particularly influenced by Heinz Koppel, based at Dowlais Quaker settlement. Though Zobole was a founder member of the avant-garde 56 Group, he continued to develop the indigenous elements of his work, against general abstract trends, as the Sixties took hold. Later on in his career, however, Zobole explored a magic realist style. He died in 1999 and was awarded a posthumous doctorate by the University of Glamorgan in 2001.

Ernest Zobole c.1995
olew ar ganfas/*oil on canvas* 24" x 20"

Griffiths

John Meurig Thomas

Yn Athro Cemeg yn Sefydliad Brenhinol Prydain Fawr ac er 1993 yn Feistr Peterhouse, Caer-grawnt, ganwyd Syr John Meurig Thomas yn Llanelli yn 1932. Am ugain mlynedd bu'n aelod o staff Prifysgol Cymru, yn gyntaf ym Mangor o 1958 hyd at 1969, yna yn Aberystwyth o 1969 hyd at 1978 cyn ei benodi yn Bennaeth Adran Cemeg Ffisegol, Prifysgol Caer-grawnt. Mae'n enwog am ei astudiaethau ymchwil i'r stad solet, deunyddiau a chemeg arwyneb. Drwy gydol ei yrfa mae wedi gwneud llawer i boblogeiddio gwyddoniaeth ymhlith cynulleidfaoedd lleyg o bobl ifainc ac oedolion, gan roi nifer o ddarlithoedd enghreifftiol, darllediadau radio a theledu, a sgyrsiau. Mae'n awdur a golygydd llawer o bapurau a chyhoeddiadau gwyddonol, gan gynnwys *Current Opinion in Solid State and Materials Science,* 1996. Yn Gymrawd o'r Gymdeithas Frenhinol er 1977, ac yn Gymrawd Anrhydeddus Academi Frenhinol Peirianneg, mae'n aelod tramor neu'n gymrawd anrhydeddus tramor ar dair ar ddeg academi cenedlaethol a rhyngwladol eraill, ac mae'n dal nifer o ddoethuriaethau er anrhydedd ledled y byd. Bu Syr John Meurig Thomas yn Ddirprwy Ganghellor Prifysgol Cymru o 1991 hyd at 1994. Ymhlith y gwobrau lu a ddyfarnwyd iddo y mae Medal Canmlwyddiant Semenov a Medal Longstaff.

John Meurig Thomas 1996
olew ar ganfas/*oil on canvas* 40" x 30"

Professor of Chemistry at the Royal Institution of Great Britain and since 1993 Master of Peterhouse, Cambridge, Sir John Meurig Thomas was born in Llanelli in 1932. For twenty years he was a member of staff of the University of Wales, first at Bangor from 1958 to 1969, then at Aberystwyth from 1969 to 1978, before becoming Head of the Department of Physical Chemistry, University of Cambridge. He is renowned for his researches into solid state, materials and surface chemistry. Throughout his career he has done much to popularise science among young people and adult lay audiences, giving numerous lecture-demonstrations, radio, television broadcasts and talks. He is the author and editor of many scientific papers and publications, including *Current Opinion in Solid State and Materials Science,* 1996. A fellow of the Royal Society since 1977, and an honorary fellow of the Royal Academy of Engineering, he is a foreign member or honorary foreign fellow of thirteen other national and international academies, and holds numerous honorary doctorates throughout the world. Sir John Meurig Thomas was Deputy Pro-Chancellor of the University of Wales from 1991 to 1994. Among the numerous awards made to him are the Semenov Centenary Medal and the Longstaff Medal.

Osian Ellis

Yn Athro Telyn yn yr Academi Gerdd Frenhinol rhwng 1959 a 1989, ganwyd Osian Ellis CBE yn Ffynnon-groes yn 1928. Y mae wedi darlledu a pherfformio consiertos, caneuon gwerin, datganiadau o farddoniaeth a cherddoriaeth ledled y byd. Cyfansoddwyd gweithiau iddo gan Alun Hoddinott yn 1957, gan William Mathias yn 1970, gan Robin Holloway yn 1985 a chan Benjamin Britten. Bu'n gweithio gyda Benjamin Britten o 1960. Yn 1991 cyhoeddodd *The Story of the Harp in Wales*. Enillodd wobrau lu, megis y Grand Prix du Disque yn 1960, Gwobr Beirniaid Radio Ffrainc a gwobr o Baris am ei ffilm *The Harp*. Gwnaed Osian Ellis yn Gymrawd yr Academi Gerdd Frenhinol yn 1960, a derbyniodd ddoethuriaeth er anrhydedd mewn Cerddoriaeth gan Brifysgol Cymru ddeng mlynedd yn ddiweddarach.

Professor of Harp at the Royal Academy of Music between 1959 and 1989, Osian Ellis CBE was born in Ffynnon-groes in 1928. He has broadcast and performed concertos, folk songs, poetry and music recitals worldwide. Works were written for him by Alun Hoddinott in 1957, William Mathias in 1970, Robin Holloway in 1985 and by Benjamin Britten, with whom he worked from 1960. In 1991 he published *The Story of the Harp* in Wales. He has won many awards, such as the Grand Prix du Disque in 1960, the French Radio Critics' Award and a Paris award for his film, *The Harp*. Osian Ellis was made Fellow of the Royal Academy of Music in 1960, and received an honorary doctorate in Music from the University of Wales ten years later.

Osian Ellis 1997
olew ar ganfas/*oil on canvas* 40" x 30"

Bryn Terfel

Yn frodor o Sir Gaernarfon, ganwyd Bryn Terfel yn 1965. Lansiwyd ei yrfa pan ymddangosodd yn ei rôl gyntaf yn 1990 fel Ffigaro Mozart ac yntau ond yn ei ugeiniau. Y flwyddyn ganlynol enillodd Wobr Canwr Ifanc y Flwyddyn ac yn 1993 enillodd Wobr Cerddoriaeth Glasurol Ryngwladol. Ymhlith rhannau eraill sydd eisoes wedi sicrhau iddo ei le diamheuol ar fap opera rhyngwladol y mae Gugliemo; Balstrode; Falstaff a Scarpia. Mae ei berfformiadau wedi'u cyflwyno mewn canolfannau o bwys megis Opera Gwladol Vienna; Salzburg, Thŷ Opera Sydney, Metropolitan Opera Efrog Newydd a Royal Opera Covent Garden. Ymhlith recordiadau clasurol Bryn Terfel ceir *Salome* ac ariâu Handel, ac mae ei *repertoire* yn cwmpasu cerddoriaeth boblogaidd, gan iddo recordio albwm o ganeuon Rodgers a Hammerstein a enillodd iddo ddisg arian. Mae Bryn Terfel yn Gymro Cymraeg ac yn wladgarwr ymroddedig, a daeth yn llysgennad crwydrol dros Fwrdd yr Iaith Gymraeg yn 1997. Yn 2000 sefydlodd Ŵyl Gerdd nodedig yn Y Faenol ger Bangor. Dyfarnwyd cymrodoriaethau a doethuriaethau er anrhydedd i'r canwr gan Brifysgol Cymru Aberystwyth, Coleg Cerdd a Drama Cymru a Phrifysgol Morgannwg.

A native of Caernarfonshire, Bryn Terfel was born in 1965. His career was launched when he made his debut role in 1990, when still only in his twenties, as Mozart's Figaro. The following year he won the Young Singer of the Year Award, and in 1993, the International Classical Music Award. Other roles that have since confirmed his indisputable place on the map of international opera include Gugliemo; Balstrode; Falstaff and Scarpia. His performances have been given at major venues such as the Vienna State Opera; Salzburg, the Sydney Opera House, Metroploitan Opera New York and Royal Opera Covent Garden. Bryn Terfel's classical recordings include *Salome* and Handel's arias, and his repertoire encompasses popular music, since he has recorded an album of Rodgers and Hammerstein songs which earned him a silver disk. A committed Welsh speaker and patriot, Bryn Terfel became a roving ambassador for the Welsh Language Board in 1997, and in 2000 established a wide-ranging Music Festival at Faenol near Bangor. Honorary fellowships and doctorates have been awarded to the singer by the University of Wales Aberystwyth; the Welsh College of Music and Drama, and the University of Glamorgan.

Bryn Terfel c.1997
olew ar ganfas/*oil on canvas* 48" x 36"

Michael Douglas Allen Vickers

Bu Michael Vickers OBE, yn Athro Anestheteg yng Ngholeg Meddygaeth Prifysgol Cymru o 1976 hyd at 1995. Ganwyd ef yn 1929, a threuliodd ran o'i yrfa glinigol gynnar, rhwng 1968 a 1976, gydag Awdurdod Rhanbarth Iechyd Birmingham fel Anesthetydd Ymgynghorol. Yn dilyn hyn, bu'n ymgymryd â sawl rôl academaidd o'r radd flaenaf yn ymestyn dros gyfnod o ddeunaw mlynedd hyd at 2000, pan etholwyd ef i lywyddiaeth cymdeithasau'n cynrychioli anesthetyddion ac anesthesiolegyddion ar lefel cenedlaethol a rhyngwladol. Bu'r Athro Vickers yn Is-Brifathro Ysbyty'r Brifysgol Caerdydd, ei Brifysgol ef ei hun, o 1990 i 1993, a bu'n Gadeirydd Ymddiriedolaeth GIG Gogledd Morgannwg am bedair blynedd hyd at 2000. Mae'n Gymrawd Y Gymdeithas Frenhinol Feddygol, ac yn dal cymrodoriaethau er anrhydedd ar raddfa ryngwladol. Mae wedi gweithredu fel golygydd nifer o gyfnodolion ei broffesiwn, ac wedi cyd-ysgrifennu nifer o gyhoeddiadau, gan gynnwys *Ethical Issues in Anaesthesia*, 1994.

Michael Vickers, OBE, was Professor of Anaesthetics at the University of Wales College of Medicine from 1976 to 1995. Born in 1929, part of his early clinical career, between 1968 and 1976, was spent at Birmingham Health Area Authority as Consultant Anaesthetist. Subsequently he undertook several top level academic roles extending over a period of eighteen years up to 2000, when he was elected to the presidency of associations representing anaesthetists and anaesthesiologists at a national and international level. Professor Vickers was Vice-Provost of his own University Hospital from 1990-93, and chaired the North Glamorgan NHS Trust for four years to 2000. He is a Fellow of the Royal Society of Medicine, and holds honorary fellowships internationally. He has acted as editor for a range of his profession's journals, and co-authored numerous publications, including *Ethical Issues in Anaesthesia* 1994.

Michael Vickers 1997
olew ar ganfas/*oil on canvas* 40" x 30"

Rhian a Tirion Evans

Rhian a Tirion Evans yw merched Dr Christopher a Dr Helen Evans o Glasgow, ac wyresau Dr a Mrs D M D Evans o Gaerdydd.

Rhian and Tirion Evans are the daughters of Dr Christopher and Dr Helen Evans of Glasgow, and the grand-daughters of Dr and Mrs D M D Evans of Cardiff.

Rhian & Tirion Evans 1998
olew ar ganfas/*oil on canvas* 30" x 24"

George Melly

Yn enedigol o Lerpwl, 1926, cysylltir George Melly, canwr jazz, darlledwr ac ysgrifennwr, â Feetwarmers John Chilton er 1974, a chyn hynny bu'n canu gyda Band Jazz Mick Mulligan rhwng 1949 a 1961. Yn ogystal y mae wedi ysgrifennu sgriptiau ar gyfer ffilmiau, stribed cartŵn 'Flook', ac mae wedi gweithio fel beirniad cerddoriaeth a ffilmiau poblogaidd ar gyfer gwahanol bapurau newydd, gan gynnwys *The Observer*. Roedd yn Feirniad y Flwyddyn 1970 (Gwobrau'r Wasg Genedlaethol IPC). Ymhlith ei gampweithiau fel ysgrifennwr sgriptiau y mae *Take a Girl Like You*, 1970, ac mae ei gyhoeddiadau yn amrywio o gartwnau i lyfrau yn ymwneud â chelf swrrealaidd a hunangofiant *Swans Reflecting Elephants: My Early Years*.

Born in Liverpool in 1926, George Melly, jazz singer, broadcaster and writer, has been connected with John Chilton's Feetwarmers since 1974, and formerly sang with Mick Mulligan's Jazz Band, between 1949 and 1961. He has also written film scripts, a strip cartoon 'Flook', and has worked as a critic of popular music and films for various newspapers, including *The Observer*. He was Critic of the Year 1970 (IPC National Press Awards). His scriptwriter credits include *Take a Girl Like You*, 1970, and his publications range from cartoons to books on naive and surrealist art and a memoir, *Swans Reflecting Elephants: My Early Years*.

George Melly 1998
olew ar ganfas/*oil on canvas* 30" x 24"

Veronica Twamley

Mae Veronica Twamley yn rhedeg busnes marchnata ar ei liwt ei hun yng Nghaerdydd, gan arbenigo ar ddatblygu busnes ar gyfer y diwydiant adeiladu. Ganwyd hi 34 o flynyddoedd yn ôl yn Cheltenham ac mae wedi byw yng Nghymru am 22 o flynyddoedd, gan fynychu Ysgol Uwchradd Lady Mary yng Nghaerdydd. Mae ganddi brofiad eang o farchnata ar gyfer gwestai preifat ac erbyn hyn mae wedi ennill ei phlwyf yn sector corfforaethol Caerdydd. Mae'n mynychu nifer o glybiau a seremonïau busnes ac mae'n rhan o grŵp o bobl fusnes lleol, gan gynnwys wynebau cyfarwydd y cyfryngau a'r byd chwaraeon. Nod y grŵp hwn yw codi ymwybyddiaeth ynglŷn â'r NSPCC a threfnu digwyddiadau codi arian.

Veronica Twamley runs a freelance marketing business in Cardiff specialising in business development for the construction industry. Born in Cheltenham 34 years ago she has lived in Wales for 22 years and attended Lary Mary High School in Cardiff. Veronica has gained a wealth of experience marketing for private hotels and now has a very strong foothold in Cardiff's corporate sector. She attends numerous business clubs and functions and is part of a group of local business people, including sports and media personalities, which aims at raising awareness for the NSPCC and organising fundraising events.

Veronica Twamley 1998
olew ar ganfas/*oil on canvas* 24" x 20"

Barry John

Yn enedigol o Gefneithin yn 1945, ystyrir Barry John yn un o'r chwaraewyr rygbi mwyaf a fagodd Cymru erioed. Yn adnabyddus fel BJ ac o ganlyniad i daith rygbi hanesyddol y Deyrnas Gyfunol i Seland Newydd fel y Brenin, daeth yn dra enwog a gwelwyd pobl yn ei eilunaddoli ac yn cyfeirio ato fel George Best y byd rygbi. Yn sgil ei ffordd o fyw lachar gwnaeth ffrindiau ymhlith enwogion y byd chwaraeon a'r byd adloniant. Ymddeolodd Barry John ar frig ei yrfa disglair yn 1972, yn 27 oed, gan wrthod egluro ei resymau dros hynny tan sawl degawd yn ddiweddarach pan gyhoeddodd ei hunangofiant, *Barry John, the King,* yn 2000, lle y datgelodd gymaint oedd y pwysau arno. Ers ei ymddeoliad cynnar mae wedi gweithio fel newyddiadurwr ac awdur, gan ysgrifennu *The Barry John Story* ac *O Gwmpas y Byd* ar y cyd, dwy gyfrol a gyhoeddwyd yn 1974.

"Â'r bêl ŵy lond ei ddwylo
Dyry hwrdd yn chwim ei dro
Trwy fur o wŷr cyhyrog
Â'i gwrs mor sydyn â'r gog."
Dewin y Bêl - Molawd i Barry John gan Gwilym R. Jones

Born in Cefneithin in 1945, Barry John is considered to be one of the greatest Welsh rugby players of the modern era. Known as BJ and, following an historic UK rugby tour of New-Zealand, as the King, he achieved celebrity status, and was idolised and referred to as the George Best of Rugby. His was a showy lifestyle, with friendships among sports and showbiz personalities. Barry John quit at the height of his dazzling career in 1972, aged 27, and refused to explain his reasons until decades later on the publication of his autobiography, *Barry John, the King,* in 2000, where he revealed the extent of the pressures on him. Since his early retirement he has worked as a journalist and author, co-writing *The Barry John Story* and *O Gwmpas y Byd*, both published in 1974.

Barry John 1999
olew ar ganfas/*oil on canvas* 40" x 30"

William Mapleson

Mae'r ffisegwr William Mapleson, FInstP, wedi bod ar staff Coleg Meddygaeth Prifysgol Cymru am hanner cant o flynyddoedd a daeth yn Athro Emeritws ac yn Ymgynghorydd i'r Adran Anestheteg yn 1991. Derbyniodd lawer o wobrau, gan gynnwys Medal Dudley Buxton, Coleg Brenhinol yr Anesthetyddion 1992, a Medal Henry Hill Hickman, Cymdeithas Frenhinol Meddygaeth (Adran Anesthesia) a ddyfarnwyd iddo yn 1999. Mae'n aelod neu'n gymrawd anrhydeddus nifer o sefydliadau rhyngwladol a chenedlaethol, gan gynnwys Coleg Brenhinol y Llawfeddygon er 1996. Mae'n awdur mwy na chant o bapurau mewn cyfnodolion gwyddonol sy'n cael eu hadolygu gan gyfoedion, yn ogystal ag erthyglau, modiwl a fideos gyda thasgau addysgiadol. Yn ei amser hamdden mae'r Athro Mapleson yn mwynhau mynychu'r theatr (tua 150 o ddramâu bob blwyddyn), cerdded a theithiau ar drên.

William Mapleson, FInstP, a physicist, has been on the staff of the College of Medicine, University of Wales for fifty years, and became Emeritus Professor and Consultant to the Department of Anaesthetics in 1991. He is the recipient of many awards, including the Dudley Buxton Medal of the Royal College of Anaesthetists 1992, and the Henry Hill Hickman Medal of the Royal Society of Medicine (Section of Anaesthesia), awarded in 1999. He is an honorary member or fellow of numerous international and national institutions, including the Royal College of Surgeons since 1996. He is the author of over a hundred papers in peer-reviewed scientific journals, as well as articles, a module and videos with an educational remit. In his spare time, Professor Mapleson enjoys theatre-going (about 150 plays a year), walking and railway journeys.

William Mapleson 1999
olew ar ganfas/*oil on canvas* 24" x 20"

Claude Evans

Ganwyd Dr Claude E Evans yng Nghaerfyrddin yn 1942, ac addysgwyd ef yn Ysgol Ramadeg Llandeilo, Prifysgol Cymru Aberystwyth a Choleg St Catharine, Caer-grawnt. Ar ôl ennill gradd PhD am waith ymchwil mewn Cemeg Ffisegol a thystysgrif dysgu, ei swydd gyntaf oedd yn Ysgol St Edward yn Rhydychen. Tair blynedd yn ddiweddarach symudodd i Ysgol Westminster, Llundain ac yno cafodd y swydd o lys-feistr. Tra oedd yno daeth yn stiward anrhydeddus Abaty Westminster ac yn aelod o gyngor Cymdeithas ac Ymddiriedolaeth Cymry Llundain. Ar ôl deunaw mlynedd yn Westminster, penodwyd Dr Evans yn Warden a Phrifathro Coleg Llanymddyfri a daeth yn gyd-gadeirydd Pwyllgor Rhanbarthol UCAS Cymru. Ym mis Awst 2000 ymddeolodd o Lanymddyfri a phenodwyd ef yn Gyfarwyddwr Gwasanaeth Gwybodaeth yr Ysgolion Annibynnol ac yn Swyddog Gwleidyddol Cyngor Ysgolion Annibynnol Cymru. Yn ogystal mae'n aelod o Gyngor Addysgu Cyffredinol Cymru ac yn Glerc i Warchodwr Lifrai Cymru.

Dr Claude E Evans was born in Carmarthen in 1942, and was educated at Llandeilo Grammar School, University of Wales Aberystwyth and St Catharine's College, Cambridge. Having gained a PhD for research in Physical Chemistry and a teaching certificate, his first post was at St Edward's School in Oxford. Three years later he moved to Westminster School, London, where he became housemaster. While there he became an honorary steward of Westminster Abbey and a council member of the London Welsh Association and Trust. Following eighteen years at Westminster, Dr Evans was appointed Warden and Headmaster of Llandovery College, and became co-chairman of the UCAS Regional Committee for Wales. In August 2000 he retired from Llandovery, and was appointed Director of the Independent Schools Information Service and Political Officer of the Independent Schools Council for Wales. He is also a member of the General Teaching Council for Wales and Clerk to the Welsh Livery Guard.

Claude Evans 2000
olew ar ganfas/*oil on canvas* 40" x 30"

Cledwyn Hughes

Ganwyd Arglwydd Cledwyn o Benrhos yn 1916, ac ef oedd yr AS Llafur dros Ynys Môn rhwng 1951 a 1979. Bu'n Gadeirydd Grŵp Llafur Cymru o 1955 hyd at 1956, ac yn Ysgrifennydd Gwladol Cymru rhwng 1966 a 1968. Yna bu'n Weinidog Amaeth tan 1970. Bu'r Arglwydd Cledwyn yn Arweinydd yr Wrthblaid yn Nhŷ'r Arglwyddi rhwng 1982 a 1992. Roedd yn aelod o sawl dirprwyaeth dramor ar ran y Llywodraeth, gan gynnwys Lebanon, Kenya, Gambia, Rhodesia a'r Undeb Sofietaidd. Bu'n Is-Ganghellor Prifysgol Cymru o 1985, gan ddal doethuriaeth o'r Brifysgol honno. Roedd yn gymrawd anrhydeddus o Brifysgol Cymru Aberystwyth, ac yn Rhyddfreiniwr Biwmares a Môn. Yn wleidydd a gwladweinydd nodedig, bu farw Arglwydd Cledwyn yn 2000.

Lord Cledwyn of Penrhos, born in 1916, was Labour MP for Anglesey between 1951 and 1979. He was Chairman of the Welsh Labour Group from 1955 to 1956, and Secretary of State for Wales between 1966 and 1968. He was then Minister for Agriculture until 1970. Lord Cledwyn was Leader of the Opposition in the House of Lords between 1982 and 1992. He was a member of many delegations abroad on behalf of the Government, including Lebanon, Kenya, Gambia, Rhodesia and the USSR. He was Vice-Chancellor of the University of Wales from 1985, and held a doctorate from that University. He was an honorary fellow of the University of Wales Aberystwyth, and a Freeman of Beaumaris and Anglesey. An eminent politician and statesman, Lord Cledwyn died in 2000.

Cledwyn Hughes 2000
olew ar ganfas/*oil on canvas* 40" x 30"

Nerys Jones

Ganwyd ac addysgwyd Nerys Jones yng Nghanolbarth Cymru. Ei hymddangosiad cyntaf fel soprano oedd yn canu Karolka yn *Jenufa*, ac yn dilyn hynny Marzelline yn *Fidelio* ar gyfer Opera'r Alban, a Norina o *Don Pasquale* gydag Opera Cenedlaethol Cymru. Yn 1994 ymunodd ag Opera Cenedlaethol Lloegr lle'r arhosodd yn brif mezzo soprano gyda'r cwmni am chwe thymor. Mae Nerys Jones wedi perfformio gyda Cherddorfa Siambr yr Alban, Consort Cerddoriaeth Gynnar yr Alban, a Cherddorfa Genedlaethol Ieuenctid Cymru yn yr Eisteddfod Genedlaethol. Mae hi wedi cyflwyno datganiadau yng Ngŵyl Cerdd Gogledd Cymru a mewn cyngerdd dathlu ar gyfer y cyfansoddwr Geoffrey Bush yn St John's, Sgwâr Smith, Llundain. Ymhlith ei hymddangosiadau diweddar eraill y mae Cherubino a Rosina ar gyfer Opera Grange Park, Dryad mewn perfformiad cyngerdd o *Ariadne auf Naxos* yn y Barbican, a Dorabella yn *Così Fan Tutte* ar gyfer Opera Grange Park.

Nerys Jones was born and educated in Mid Wales. Her soprano debut was singing Karolka in *Jenufa*, followed by Marzelline in *Fidelio* for Scottish Opera, and Norina from *Don Pasquale* with Welsh National Opera. In 1994 she joined English National Opera, where she remained a company principal mezzo soprano for six seasons. Nerys Jones has performed with the Scottish Chamber Orchestra, the Scottish Early Music Consort and the National Youth Orchestra of Wales at the National Eisteddfod. Recitals include the North Wales Music Festival and a celebration concert for the composer Geoffrey Bush at St John's, Smith Square, London. Other recent appearances include Cherubino and Rosina for Grange Park Opera, Dryad in a concert performance of *Ariadne auf Naxos* at the Barbican, and Dorabella in *Così Fan Tutte* for Grange Park Opera.

Nerys Jones 2000
olew ar ganfas/*oil on canvas* 20" x 16"

Kate Lloyd

Hyfforddwyd Kate Lloyd fel seicolegydd, ac fel un sy'n brofiadol mewn cynghori seicorywiol mae ganddi gysylltiadau cyhoeddus eang, cefndir darlledu a newyddiadura, ac mae'n arbenigo mewn materion yn ymwneud ag iechyd, iechyd emosiynol a dibyniaeth. Yn dilyn cyfnod o ddeng mlynedd fel Gohebydd Meddygol i'r BBC, gweithiodd fel newyddiadurwraig meddygaeth i'r Mirror Group, cyn symud i Deledu Lloeren fel Uwchgynhyrchydd, gan arbenigo ar raglenni iechyd. Roedd Kate Lloyd yn Golofnydd y Flwyddyn ar gyfer *Wales on Sunday* (1997 Gwobrau'r Wasg Ranbarthol) a bu'n westai ar raglen ffonio-i-mewn fel Seicolegydd Preswyl ar Talk Radio am dair blynedd hyd at 1999. Yn wreiddiol o Sir Faesyfed, ac wedi'i haddysgu ym Mhrifysgol Caerdydd, dychwelodd Kate Lloyd o Lundain i fyw ac i weithio yng Nghaerdydd yn 2000. Ar hyn o bryd mae'n cyflwyno cyfres o raglenni ar berthynas pobl â'i gilydd ar gyfer S4C, ac mae'n cynhyrchu cyflwyniad i oedolion a oroesodd gamdriniaeth yn eu plentyndod ar gyfer y BBC. Mae ei dau blentyn, sef Tom ac Alice Lloyd, yn ddisgyblion yn Ysgol Gyfun Gymraeg Glantaf yng Nghaerdydd.

A trained psychologist with experience of psychosexual counselling, Kate Lloyd has an extensive PR, journalistic and broadcasting background, and specializes in issues relating to health, emotional health and addiction. Following a period of ten years as Medical Correspondent with the BBC, she worked as a medical journalist for the Mirror Group, before moving to Sky Television as a Senior Producer specializing in health programmes. Kate Lloyd was Columnist of the Year for *Wales on Sunday* (1997 Regional Press Awards) and hosted a weekly phone-in as Resident Psychologist on Talk Radio for three years up to 1999. Originally from Radnorshire, and educated at Cardiff University, Kate Lloyd returned from London to live and work in Cardiff in 2000. She is currently presenting a series of programmes on relationships for S4C and producing a guide for adult survivors of childhood abuse for the BBC. Her two children, Tom and Alice Lloyd, are both currently pupils at Ysgol Gyfun Gymraeg Glantaf in Cardiff.

Kate Lloyd 2000
olew ar ganfas/*oil on canvas* 30" x 24"

James Callaghan

Ganwyd Arglwydd Callaghan o Gaerdydd yn 1912 a daeth i amlygrwydd gwleidyddol pan benodwyd ef yn Ganghellor y Trysorlys yn 1964 ac yna'n Ysgrifennydd Cartref yn 1967. Bu'n Ysgrifennydd Gwladol ar Faterion Tramor a'r Gymanwlad rhwng 1974 a 1976. Daeth yn Arweinydd y Blaid Lafur, swydd a gyflawnodd hyd at 1980. Bu'n Brif Weinidog yn ystod y cyfnod o 1976 i 1979. Bu'n Llywydd Prifysgol Cymru Abertawe o 1986 i 1995, a gwnaed ef yn Rhyddfreiniwr dinasoedd Abertawe a Portsmouth ac yn Rhyddfreiniwr Anrhydeddus Caerdydd a Sheffield. Yn ogystal â Gwobr Ryngwladol Hubert H Humphrey yn 1978, a'r Groes Fawr, Dosbarth Cyntaf, Urdd Teilyngdod (Yr Almaen), dyfarnwyd iddo'n ychwanegol nifer o gymrodoriaethau a doethuriaethau er anrhydedd. Ef yw awdur *A House Divided: the Dilemma of Northern Ireland*, 1973, a chyhoeddodd ei hunangofiant, *Time and Chance*, yn 1987.

Born in 1912, Lord Callaghan of Cardiff came to political prominence when he was appointed Chancellor of the Exchequer in 1964 and then Home Secretary in 1967. He was Secretary of State for Foreign and Commonwealth Affairs between 1974 and 1976. He became Leader of the Labour Party, a post he held until 1980. He was Prime Minister during the period from 1976 to 1979. He was President of the University of Wales Swansea from 1986 to 1995, and was made Freeman of the cities of Swansea and Portsmouth, and Honorary Freeman of Cardiff and Sheffield. A recipient of the Hubert H Humphrey International Award in 1978, and the Grand Cross, First Class, Order of Merit (Germany), he has also been awarded numerous additional honorary fellowships and doctorates. He is the author of *A House Divided: the Dilemma of Northern Ireland*, 1973, and published his autobiography, *Time and Chance*, in 1987.

James Callaghan 2001
olew ar ganfas/*oil on canvas* 48" x 36"

Gwynfor Evans

Ganwyd Gwynfor Evans yn 1912. Dyma ŵr sydd wedi chwarae rhan allweddol ers yr Ail Ryfel byd yn natblygiad Plaid Cymru fel grym gwleidyddol. Mae ei weithiau gwleidyddol a hanesyddol yn archwilio'r berthynas rhwng cenedlaetholdeb a heddychiaeth. Adlewyrchir ei ffydd a'i heddychiaeth yn ei ymroddiad cynnar i gyrff megis Mudiad Heddwch Cymru y bu'n Ysgrifennydd Anrhydeddus iddo o 1939 i 1945, a'r Undeb o Gymry Annibynnol y daeth yn gadeirydd arno yn 1954. Bu'n Is-Lywydd Plaid Cymru o 1943 hyd at 1945 ac yn Llywydd o 1945 hyd at 1981, ac mae wedi bod yn Llywydd Anrhydeddus y blaid er 1982. Ef oedd AS cyntaf y blaid, gan gynrychioli Caerfyrddin o 1966 hyd at 1970 ac o 1974 hyd at 1979. Bu ei ymroddiad i ddiwylliant Cymraeg mor ddiflino â'i deyrngarwch i Blaid Cymru. Yn yr Wythdegau cynnar penderfynodd Gwynfor Evans y byddai'n ymprydio petai'r llywodraeth yn torri ei haddewid o ddarparu darlledu trwy gyfrwng y Gymraeg ar y bedwaredd sianel deledu newydd yng Nghymru. Ymhlith ei waith cyhoeddedig y mae *Plaid Cymru and Wales*, 1950; *Land of My Fathers*, 1974; *Fighting for Wales*, 1990, and *The Fight for Freedom*, 2000.

Born in 1912, Gwynfor Evans has played a key role since World War II in Plaid Cymru's development as a political force. His political and historical writing explores the inter-relationship of nationalism and pacifism. His faith and pacifism are reflected in his early commitment to bodies such as the the Welsh Pacifist Movement, of which he was Honorary Secretary from 1939-45, and the Union of Welsh Independents, of which he became chair in 1954. He was Vice-President of Plaid Cymru from 1943 to 1945 and President from 1945 to 1981, and has been the party's Honorary President since 1982. He was the party's first MP, representing Carmarthen from 1966 to 1970 and from 1974 to 1979. His commitment to Welsh-language culture has been as unstinting as his loyalty to Plaid Cymru. Gwynfor Evans threatened to fast in the early Eighties should the government renege on its promise to provide Welsh-medium broadcasting on the new fourth television channel in Wales. Among his published works are *Plaid Cymru and Wales*, 1950; *Land of My Fathers*, 1974; *Fighting for Wales*, 1990, and *The Fight for Freedom*, 2000.

Gwynfor Evans 2001
olew ar ganfas/*oil on canvas* 40" x 30"

DAVID GRIFFITHS · 2001

R Brinley Jones

Etholwyd Dr R Brinley Jones CBE yn Llywydd Llyfrgell Genedlaethol Cymru yn 1996. Bu'n Gyfarwyddwr Gwasg Prifysgol Cymru 1969-1976 ac yn Warden Coleg Llanymddyfri 1976-1988. Bu'n aelod o Fwrdd y Cyngor Prydeinig ac yn Gadeirydd ar ei Bwyllgor Cymreig rhwng 1987 a 1996, ac yn aelod o'r Cyngor Safonau Darlledu rhwng 1988 a 1991. Bu'n Gadeirydd Comisiwn yr Eglwysi Cadeiriol a'r Eglwysi yng Nghymru oddiar 1994. Mae'n gwasanaethu fel aelod o Lys neu Gyngor gwahanol brifysgolion. Mae'n Gadeirydd Pwyllgor Rheoli Canolfan Uwchefrydiau Cymreig a Cheltaidd Prifysgol Cymru. Mae ei ysgolheictod a'i gyhoeddiadau yn adlewyrchu ei ddiddordeb yn hanes addysg ac yn nylanwad y Dadeni a'r Diwygiad Protestannaidd ar ddiwylliant Cymru. Ymhlith ei weithiau y mae *The Old British Tongue* 1970, *Certain Scholars of Wales* 1986, *William Salesbury* 1994, *Floreat Landubriense* 1998 a *The Particularity of Wales* 2001. Bu'n gyd-olygydd y gyfres *Writers of Wales* o'i chychwyn yn 1970.

Dr R Brinley Jones CBE, has been President of the National Library of Wales since 1996. He was Director of the University of Wales Press, 1969 to 1976, and Warden of Llandovery College 1976-1988. He was a member of the Board of the British Council and Chairman of its Welsh Committee 1987-1996 and a member of the Broadcasting Standards Council 1988-1991. He has been Chairman of the Cathedral and Churches Commission, Wales, since 1994. He serves as a Court or Council member at various universities. He is Chairman of the Management Committee of the University of Wales Centre for Advanced Welsh and Celtic Studies. His scholarship and publications reflect his interest in the history of education and in the influence of the Renaissance and Protestant Reformation on Welsh culture. Among his writings are *The Old British Tongue* 1970, *Certain Scholars of Wales* 1986, *William Salesbury* 1994, *Floreat Landubriense* 1998 and *The Particularity of Wales* 2001. He has been co-editor of the series *Writers of Wales* since its inception in 1970.

R Brinley Jones 2002
olew ar ganfas/*oil on canvas* 40" x 30"

Eric Sunderland

Ganwyd yr Athro Emeritws Eric Sunderland OBE, anthropolegwr, yn 1930. Bu'n Brifathro, ac yna'n Is-Ganghellor Prifysgol Cymru Bangor o 1984 hyd at 1995, ac yn Is-Ganghellor Prifysgol Cymru yn ystod y cyfnod o 1989 hyd at 1991. Yn ystod y cyfnod diweddaraf hwn, roedd hefyd yn Llywydd y Sefydliad Anthropolegol Brenhinol ac yn aelod o Fwrdd yr Iaith Gymraeg. Ymhlith ei gyhoeddiadau niferus ar anthropoleg y mae *Elements of Human and Social Geography: Some Anthropological Perspectives*, 1973 a *Genetic and Population Studies in Wales*, 1986. Mae'n aelod anrhydeddus o Orsedd y Beirdd, ac wedi derbyn doethuriaeth er anrhydedd a llawer o gymrodoriaethau. Er 1999 y mae'n Arglwydd Raglaw Gwynedd a bu'n Llywydd Prifysgol Cymru Llanbedr Pont Steffan rhwng 1998 a 2002.

Emeritus Professor Eric Sunderland OBE, anthropologist, was born in 1930. He was Principal, and later Vice-Chancellor of the University of Wales Bangor from 1984 to 1995, and Vice-Chancellor of the University of Wales during the period from 1989 to 1991. During the latter period he was also President of the Royal Anthropological Institute and a member of the Welsh Language Board. Among his numerous publications on anthropology are *Elements of Human and Social Geography: Some Anthropological Perspectives*, 1973 and *Genetic and Population Studies in Wales*, 1986. He is an honorary member of the Gorsedd of Bards, and a recipient of an honorary doctorate and many fellowships. He has been Lord Lieutenant of Gwynedd since 1999 and was President of the University of Wales Lampeter between 1998 and 2002.

Eric Sunderland 2002
olew ar ganfas/*oil on canvas* 40" x 30"

D. Griffiths 2002